사고 [illegible]는

팩토 연산

B03

(두 자리 수) – (두 자리 수)

매스티안

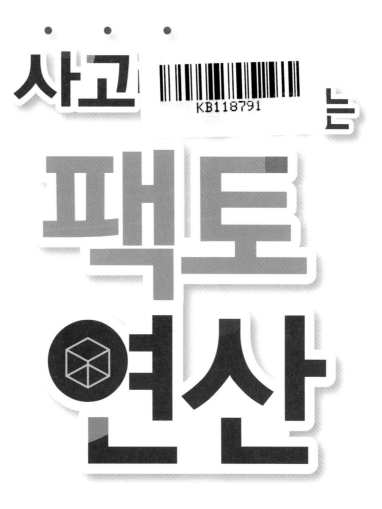

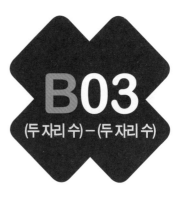

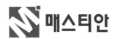

구성과 특징

1주 연산 원리 학습

2주 연산 응용 학습

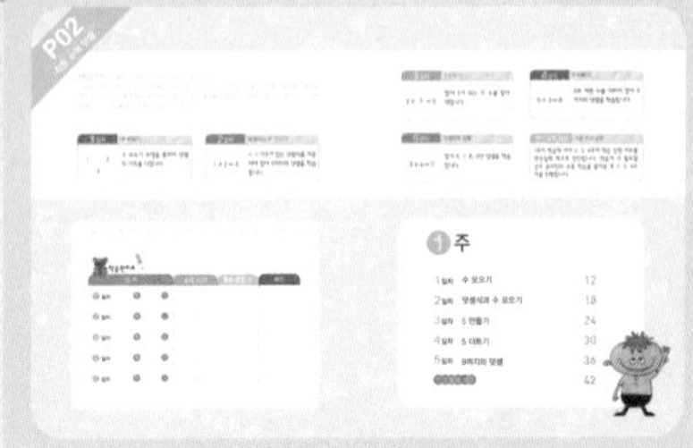

연산 원리를 응용한 문제를
풀어 보며 문제해결력 신장

붙임 딱지 등의 활동으로
연산 원리를 재미있게 체득

+

정답

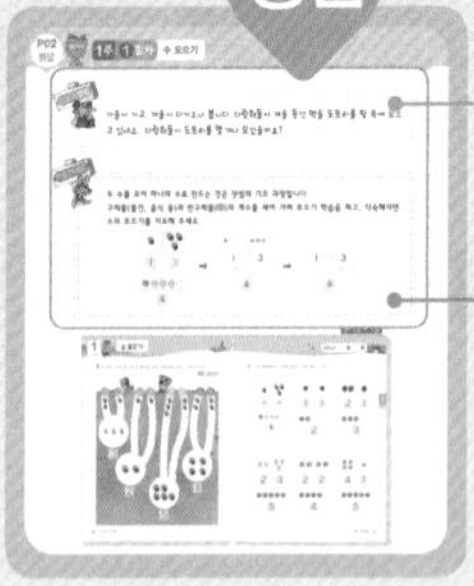

아이와 자연스럽게 학습을 시작할 수
있도록 스토리텔링 방식 도입

아이들이 배우는 연산 원리에 대한
학습가이드 제시

연산 실력 체크 진단 **+** 보충 온라인 보충 학습

 온라인 활동지

2~4주차 사고력 연산을
학습하기 전에 연산 실력 체크

매스티안 홈페이지에서 제공하는
보충 학습으로 연산 원리 다지기

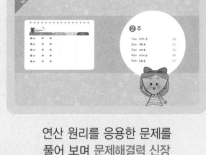

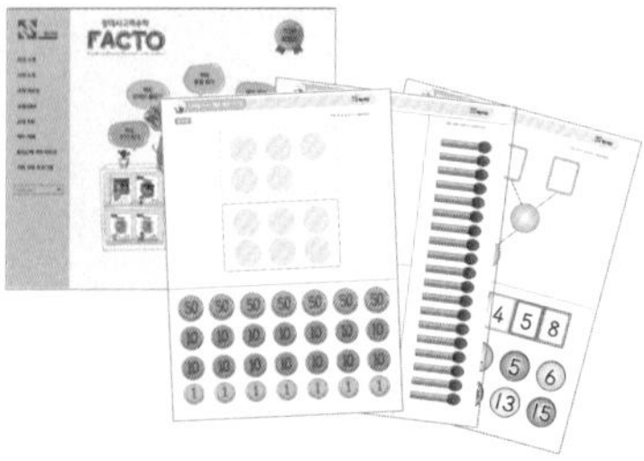

매스티안 홈페이지에서 제공하는
활동지로 사고력 연산 이해도 향상

3주 사고력 학습 1

연산 원리를 바탕으로 한 사고력 연산
문제를 풀어 보며 수학적 사고력과 창의력 향상

4주 사고력 학습 2

연산 원리를 바탕으로 한 사고력 연산
문제를 풀어 보며 수학적 사고력과 창의력 향상

3, 4주차 1일 학습 흐름

난이도 下

→

난이도 中

→

난이도 上

→

목표 문제

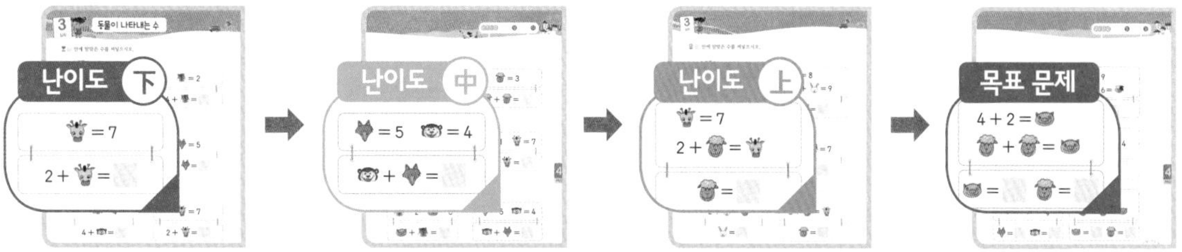

특정 주제를 쉬운 문제부터 목표 문제까지 차근차근
학습할 수 있도록 설계 되어 있어 자기주도학습 가능

App Game 팩토 연산 SPEED UP

앱스토어에서 무료로 다운받은
팩토 연산 SPEED UP으로 덧셈, 뺄셈,
곱셈, 나눗셈의 연산 속도와 정확성 향상

부록 칭찬 붙임 딱지, 상장

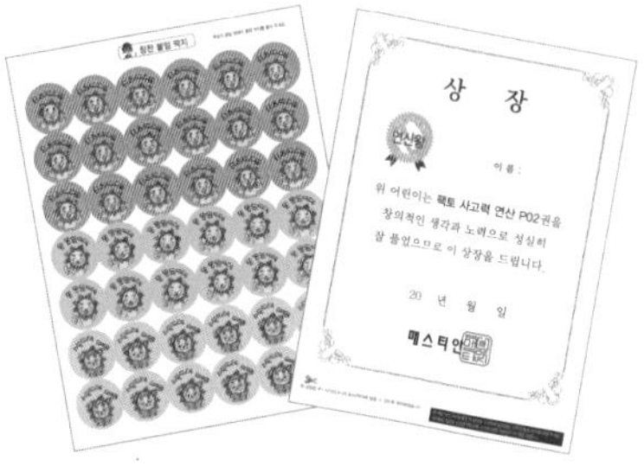

학습 동기 부여를 위한
칭찬 붙임 딱지와 연산왕 상장

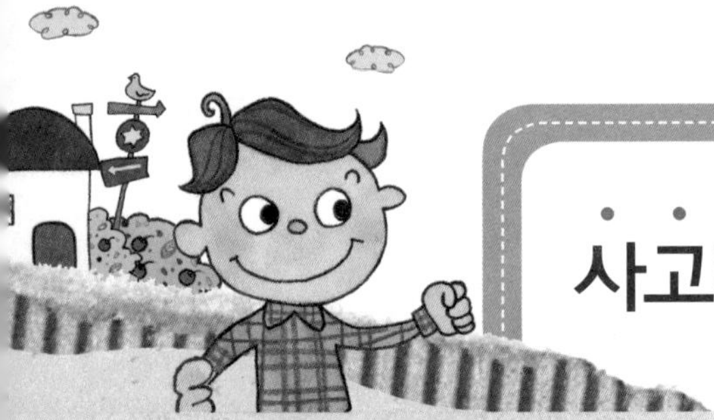

사고력을 키우는 **팩토 연산 시리즈**

B03 (두 자리 수)-(두 자리 수) 목차

B03 (두 자리 수)−(두 자리 수)

B03권에서는 A05권의 (두 자리 수)−(한 자리 수)의 계산에 이어 (두 자리 수)−(두 자리 수)를 학습합니다.
보통 필산으로 계산할 때에는 일의 자리부터 계산하지만 여기에서 배우는 (두 자리 수)−(두 자리 수)까지는 머리셈의 계산 원리를 이용하여 받아내림이 없는 뺄셈에서 받아내림이 있는 뺄셈으로, 가로셈에서 세로셈으로 순차적으로 알아봅니다.

1일차	받아내림이 없는 뺄셈
56−34=22	받아내림이 없는 (두 자리 수)−(두 자리 수)를 학습합니다.

2일차	몇십에서의 뺄셈
80−57=23	받아내림이 있는 (몇십)−(몇십 몇)을 학습합니다.

학습관리표

일 자	소요 시간	틀린 문항 수	확인
1 일차 월 일	:		
2 일차 월 일	:		
3 일차 월 일	:		
4 일차 월 일	:		
5 일차 월 일	:		

3일차 받아내림이 있는 뺄셈

72−59=13

받아내림이 있는 (두 자리 수)−(두 자리 수)를 학습합니다.

4일차 100보다 작은 수에서의 뺄셈

56−14=42

앞 수의 일의 자리 숫자가 큰 경우

일의 자리 숫자를 보고 판단하여 머리셈 하는 연습을 합니다.

5일차 세로셈

```
   93
 − 39
 ────
   54
```

(두 자리 수)−(두 자리 수)를 세로 형식으로 익힙니다.

연산 실력 체크

1주차 학습에 이어 2, 3, 4주차 학습을 원활히 하기 위하여 연산 실력 체크를 합니다.
연습이 더 필요할 경우에는 매스티안 홈페이지의 보충 학습을 풀어 봅니다.

1 주

1 일차 받아내림이 없는 뺄셈

붙임 딱지를 붙이며 뺄셈을 하시오.

준비물 ▸ 붙임 딱지

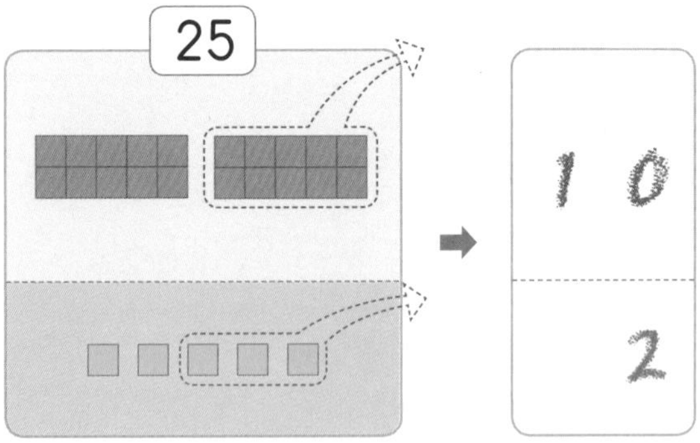

25 − 13 =

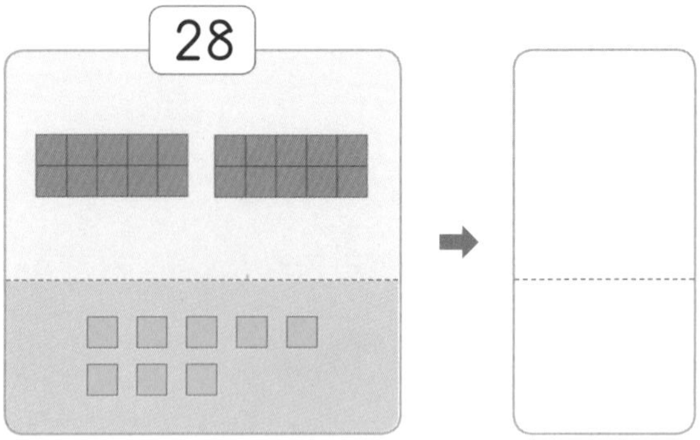

28 − 12 =

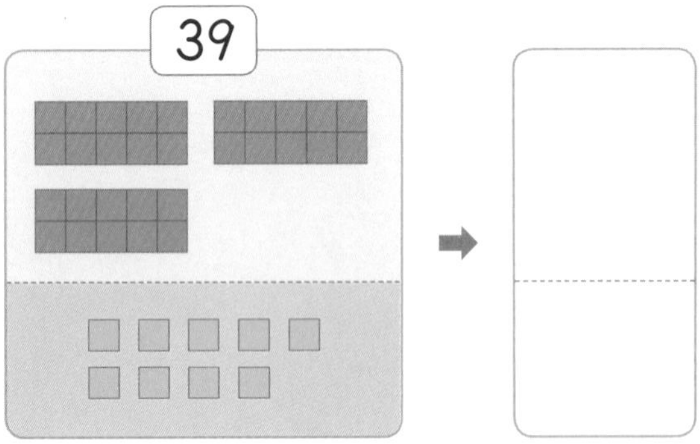

39 − 11 =

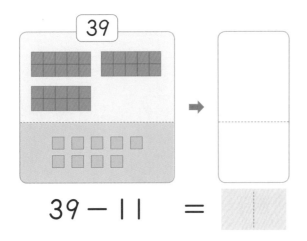

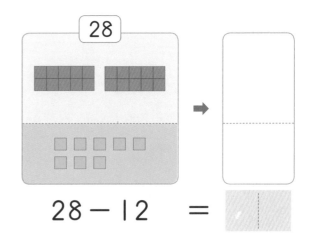

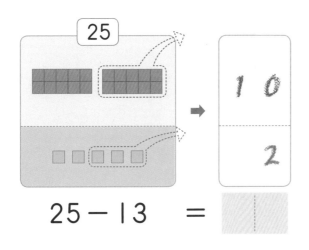

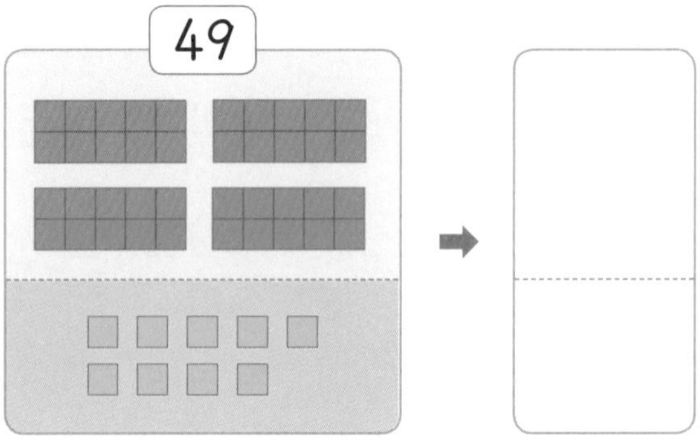

49 − 25 =

8 🔳 안에 알맞은 수를 써넣어 뺄셈을 하시오.

─○ 보기 ○─

$30 - 10 = \boxed{2\,0}$
$5 - 2 = \boxed{3}$
$35 - 12 = \boxed{2\,3}$

$40 - 10 = \boxed{}$
$7 - 3 = \boxed{}$
$47 - 13 = \boxed{}$

1
B03

$50 - 30 = \boxed{}$
$6 - 4 = \boxed{}$
$56 - 34 = \boxed{}$

$60 - 50 = \boxed{}$
$9 - 2 = \boxed{}$
$69 - 52 = \boxed{}$

$70 - 40 = \boxed{}$
$8 - 3 = \boxed{}$
$78 - 43 = \boxed{}$

$90 - 20 = \boxed{}$
$9 - 6 = \boxed{}$
$99 - 26 = \boxed{}$

오 '십의 자리 → 일의 자리' 순서로 계산하시오.

$4-3$

$47 - 32 = $ 1 ⇒ $47 - 32 = $ 1 5

$7-2$

$3-1$

$35 - 14 = $ 2

$5-4$

$5-2$

$56 - 23 = $

$6-3$

$27 - 12 = $

$64 - 20 = $

$49 - 14 = $

$78 - 33 = $

$68 - 41 = $

$87 - 23 = $

79 − 43 =

54 − 31 =

67 − 52 =

46 − 26 =

58 − 13 =

89 − 35 =

76 − 64 =

94 − 43 =

56 − 30 =

65 − 11 =

99 − 22 =

78 − 46 =

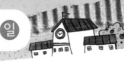

빼셈을 하시오.

25 − 11 = ☐

34 − 23 = ☐

37 − 10 = ☐

48 − 17 = ☐

49 − 23 = ☐

55 − 22 = ☐

76 − 13 = ☐

68 − 30 = ☐

67 − 25 = ☐

73 − 21 = ☐

56 − 36 = ☐

88 − 12 = ☐

75 − 20 =

89 − 52 =

55 − 15 =

38 − 12 =

86 − 44 =

79 − 33 =

98 − 23 =

88 − 17 =

35 − 12 =

96 − 42 =

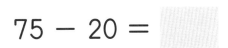

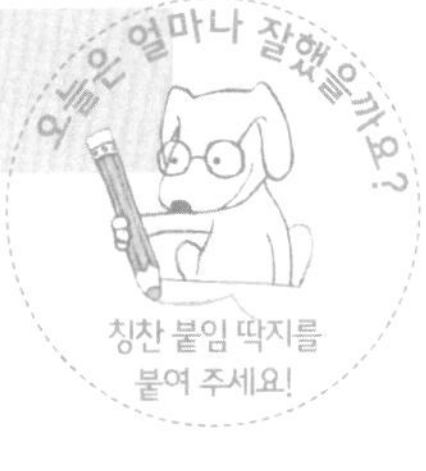

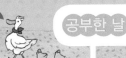

몇십에서의 뺄셈

붙임 딱지를 붙이며 뺄셈을 하시오.

준비물 ▸ 붙임 딱지

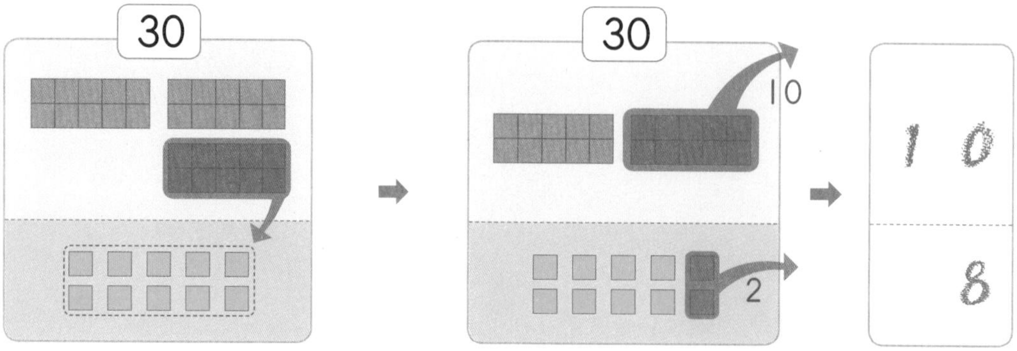

$30 - 12 =$

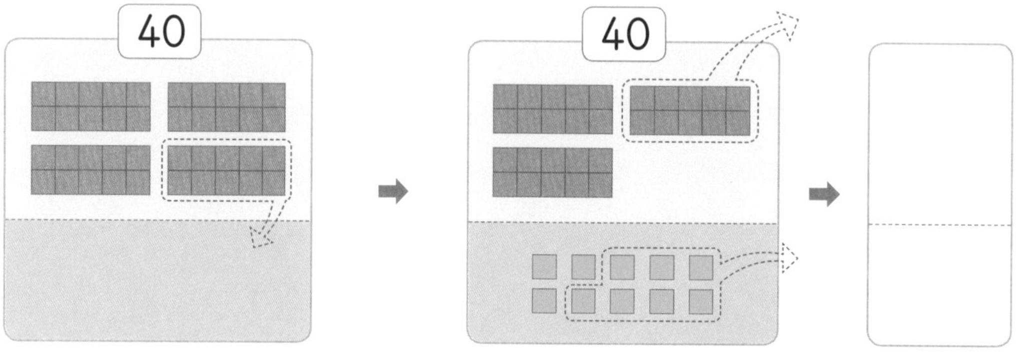

$40 - 17 =$

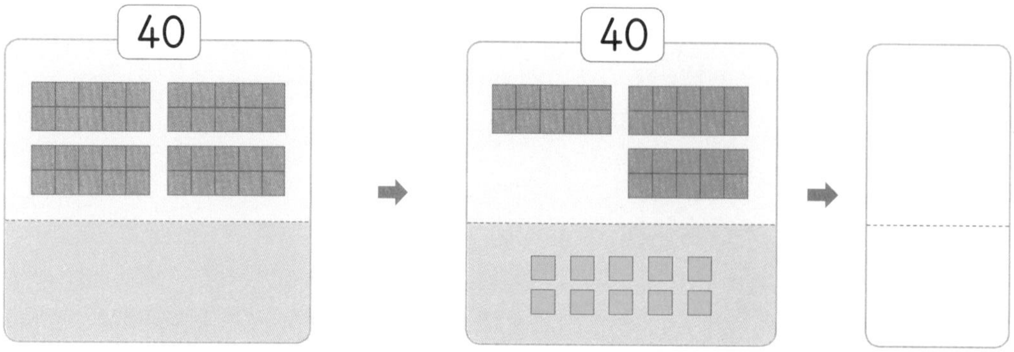

$40 - 25 =$

안에 알맞은 수를 써넣어 뺄셈을 하시오.

보기

$30 - 10 = 20$
$10 - 9 = 1$
$40 - 19 = 21$

$20 - 10 =$
$10 - 4 =$
$30 - 14 =$

$50 - 10 =$
$10 - 3 =$
$60 - 13 =$

$70 - 50 =$
$10 - 7 =$
$80 - 57 =$

$60 - 50 =$
$10 - 8 =$
$70 - 58 =$

$80 - 30 =$
$10 - 5 =$
$90 - 35 =$

○ '십의 자리 → 일의 자리' 순서로 계산하시오.

$$7 - 2 - \bullet$$

$$70 - 29 \quad \Rightarrow \quad 70 - 29 = \boxed{4 \ 1}$$

앞 수의 일의 자리
숫자가 작은 경우

$$\bullet 0 - 9$$

$$3-1-1$$
$$30 - 16 = \boxed{1}$$
$$10-6$$

$$5-2-1$$
$$50 - 24 = \boxed{}$$
$$10-4$$

$$40 - 12 = \boxed{}$$

$$60 - 37 = \boxed{}$$

$$50 - 28 = \boxed{}$$

$$70 - 35 = \boxed{}$$

$$60 - 11 = \boxed{}$$

$$80 - 23 = \boxed{}$$

70 − 16 =

50 − 21 =

40 − 22 =

60 − 39 =

80 − 16 =

90 − 55 =

50 − 37 =

60 − 48 =

90 − 15 =

40 − 14 =

80 − 38 =

90 − 43 =

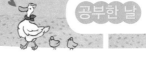

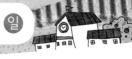

빼셈을 하시오.

30 − 18 =

40 − 26 =

40 − 14 =

50 − 33 =

60 − 25 =

70 − 58 =

50 − 22 =

40 − 21 =

60 − 27 =

50 − 13 =

70 − 19 =

80 − 67 =

50 − 19 = ☐

60 − 22 = ☐

70 − 45 = ☐

90 − 18 = ☐

80 − 64 = ☐

70 − 41 = ☐

40 − 13 = ☐

60 − 36 = ☐

80 − 57 = ☐

50 − 28 = ☐

90 − 35 = ☐

80 − 43 = ☐

오늘은 얼마나 잘했을까요?

칭찬 붙임 딱지를
붙여 주세요!

받아내림이 있는 뺄셈

붙임 딱지를 붙이며 뺄셈을 하시오.

준비물 ▸ 붙임 딱지

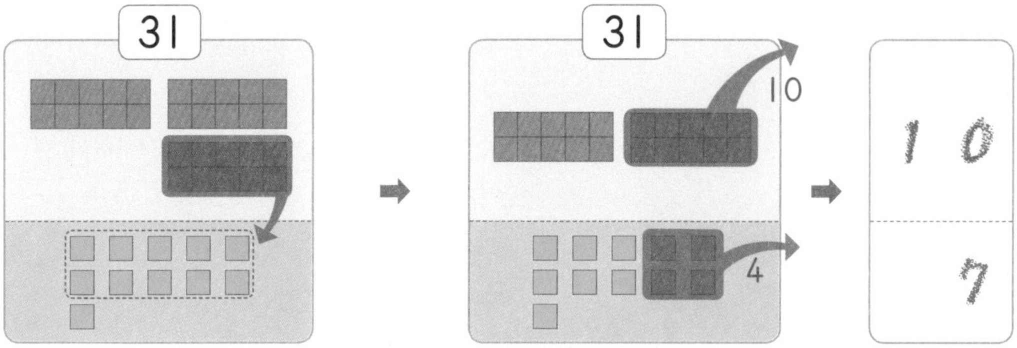

31 − 14 =

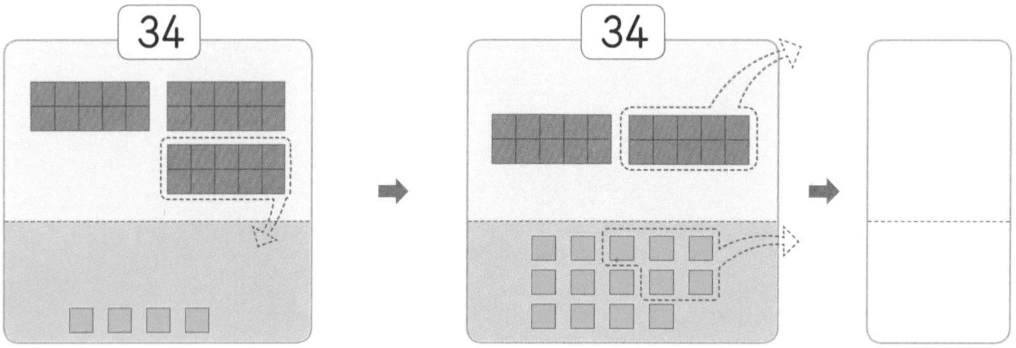

34 − 15 =

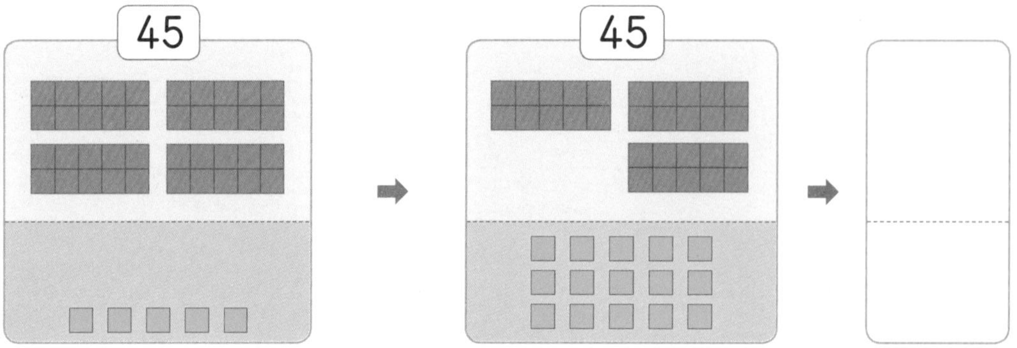

45 − 29 =

안에 알맞은 수를 써넣어 뺄셈을 하시오.

보기

32 − 20 = 12
10 − 9 = 1
42 − 29 = 13

41 − 20 =
10 − 8 =
51 − 28 =

53 − 10 =
10 − 6 =
63 − 16 =

62 − 50 =
10 − 9 =
72 − 59 =

74 − 30 =
10 − 5 =
84 − 35 =

85 − 60 =
10 − 7 =
95 − 67 =

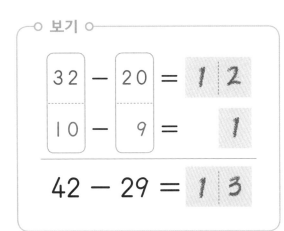

📍 '십의 자리 → 일의 자리' 순서로 계산하시오.

$$6 - 2 - \textcolor{gray}{●}$$
$$64 - 29 \quad \Rightarrow \quad 64 - 29 = \boxed{3 \,|\, 5}$$
앞 수의 일의 자리
숫자가 ● 경우
$$\textcolor{gray}{●}4 - 9$$

$$3-1-1$$
$$32 - 19 = \boxed{1 \,|\,}$$
$$12-9$$

$$4-2-1$$
$$45 - 27 = \boxed{}$$
$$15-7$$

$$51 - 36 = \boxed{}$$

$$63 - 28 = \boxed{}$$

$$76 - 48 = \boxed{}$$

$$51 - 24 = \boxed{}$$

$$84 - 35 = \boxed{}$$

$$73 - 57 = \boxed{}$$

65 − 18 =

52 − 33 =

41 − 16 =

74 − 29 =

62 − 34 =

91 − 54 =

81 − 37 =

73 − 49 =

95 − 19 =

83 − 15 =

75 − 36 =

93 − 47 =

빼셈을 하시오.

$33 - 15 =$ ☐

$41 - 19 =$ ☐

$54 - 28 =$ ☐

$62 - 27 =$ ☐

$72 - 39 =$ ☐

$43 - 19 =$ ☐

$65 - 37 =$ ☐

$75 - 48 =$ ☐

$84 - 16 =$ ☐

$32 - 19 =$ ☐

$63 - 27 =$ ☐

$83 - 38 =$ ☐

52 − 16 = ☐

63 − 26 = ☐

72 − 29 = ☐

34 − 15 = ☐

46 − 18 = ☐

81 − 29 = ☐

62 − 37 = ☐

93 − 49 = ☐

73 − 15 = ☐

84 − 68 = ☐

92 − 27 = ☐

74 − 26 = ☐

100보다 작은 수에서의 뺄셈

붙임 딱지를 붙이며 뺄셈을 하시오.

준비물 ▸ 붙임 딱지

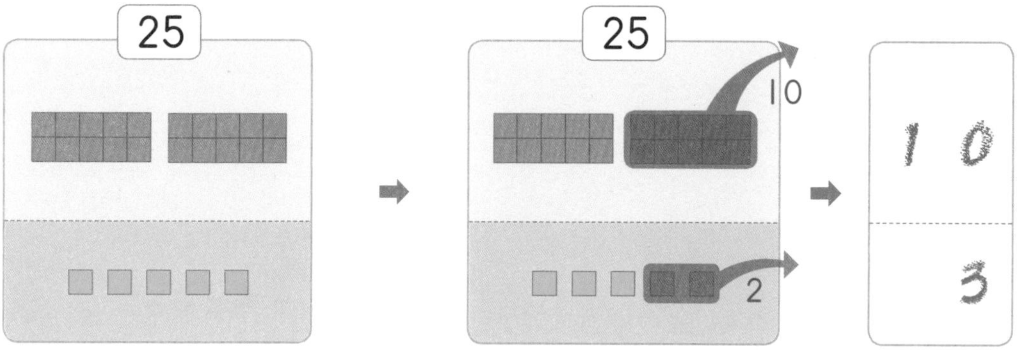

25 − 12 =

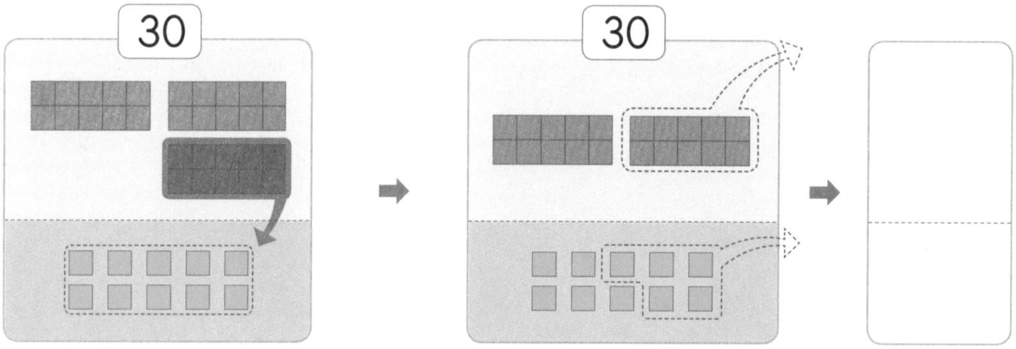

30 − 15 =

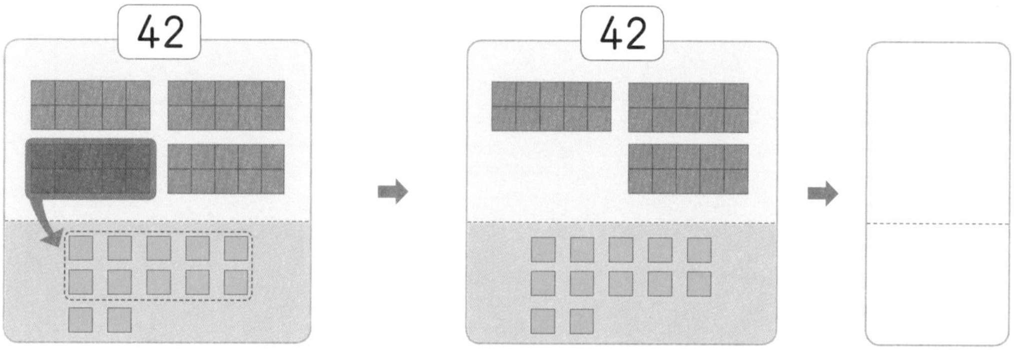

42 − 28 =

□ 안에 알맞은 수를 써넣어 뺄셈을 하시오.

보기

26 − 10 = 16
10 − 7 = 3
36 − 17 = 19

---

20 − 10 = □
5 − 2 = □
25 − 12 = □

---

40 − 20 = □
8 − 3 = □
48 − 23 = □

---

50 − 10 = □
13 − 9 = □
63 − 19 = □

---

40 − 20 = □
12 − 4 = □
52 − 24 = □

---

60 − 30 = □
14 − 5 = □
74 − 35 = □

'십의 자리 → 일의 자리' 순서로 계산하시오.

56 − 14 → 56 − 14 = 4 | 2

5 − 1

6 − 4

앞 수의 일의 자리 숫자가 큰 경우

3−1

39 − 13 = 2 |

9−3

4−2

43 − 21 = |

3−1

65 − 24 = |

76 − 32 = |

87 − 35 = |

58 − 23 = |

76 − 61 = |

97 − 44 = |

5 − 3 − 1

54 − 39 ➡ 54 − 39 = 1 5

앞 수의 일의 자리 숫자가 작은 경우

14 − 9

5−2−1

51 − 26 = 2

11−6

4−1−1

42 − 18 =

12−8

43 − 25 =

60 − 23 =

64 − 17 =

72 − 57 =

80 − 24 =

94 − 25 =

빼셈을 하시오.

37 − 14 =

63 − 29 =

54 − 38 =

45 − 13 =

46 − 17 =

71 − 49 =

61 − 18 =

55 − 24 =

90 − 14 =

82 − 37 =

73 − 46 =

69 − 23 =

$54 - 27 =$ ☐

$80 - 14 =$ ☐

$66 - 21 =$ ☐

$58 - 29 =$ ☐

$93 - 36 =$ ☐

$75 - 15 =$ ☐

$75 - 39 =$ ☐

$61 - 46 =$ ☐

$92 - 16 =$ ☐

$85 - 34 =$ ☐

$81 - 57 =$ ☐

$94 - 65 =$ ☐

오늘은 얼마나 잘했을까요?
칭찬 붙임 딱지를
붙여 주세요!

세로셈

붙임 딱지를 붙이며 뺄셈을 하시오.

준비물 ▸ 붙임 딱지

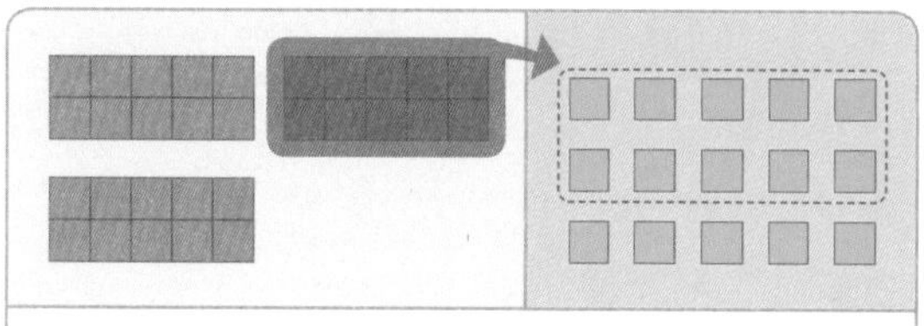

$$\begin{array}{rcc} & \overset{2}{\cancel{3}} & \overset{10}{5} \\ - & 1 & 9 \\ \hline \end{array}$$

➡

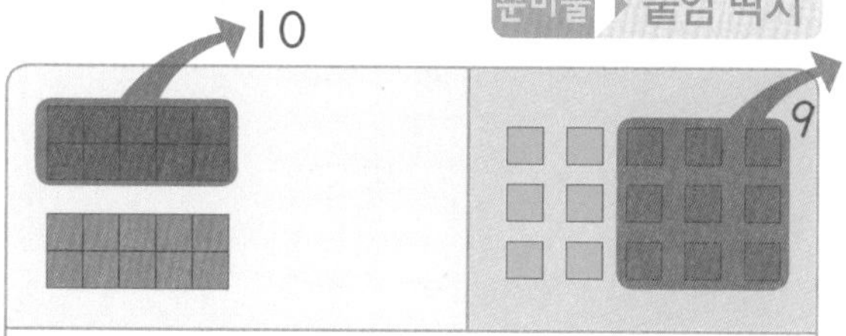

$$\begin{array}{rcc} & \overset{2}{\cancel{3}} & \overset{10}{5} \\ - & 1 & 9 \\ \hline & \square & \square \end{array}$$

2−1 ↗ ↖ 15−9

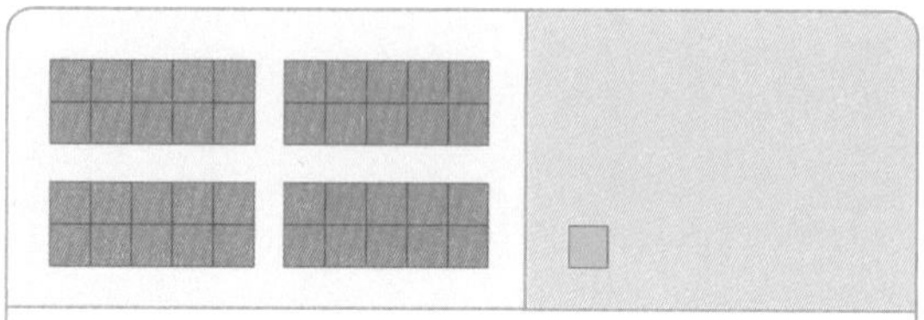

$$\begin{array}{rcc} & \overset{3}{\cancel{4}} & \overset{10}{1} \\ - & 2 & 7 \\ \hline \end{array}$$

➡

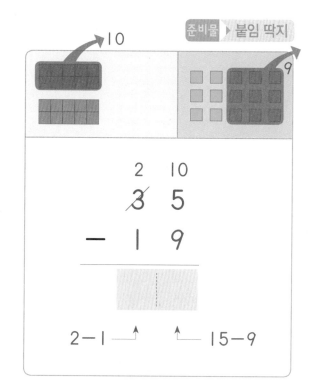

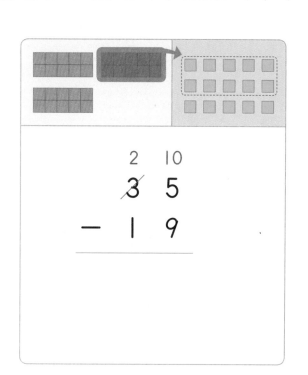

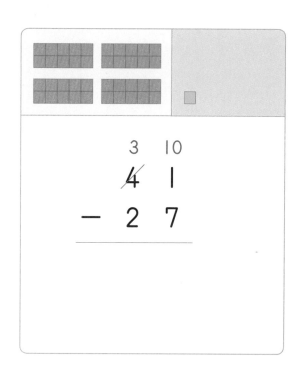

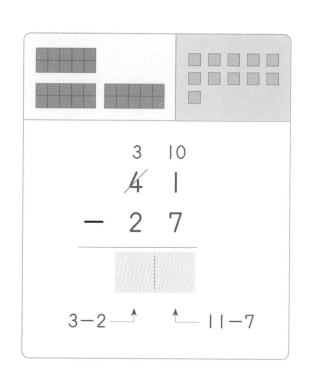

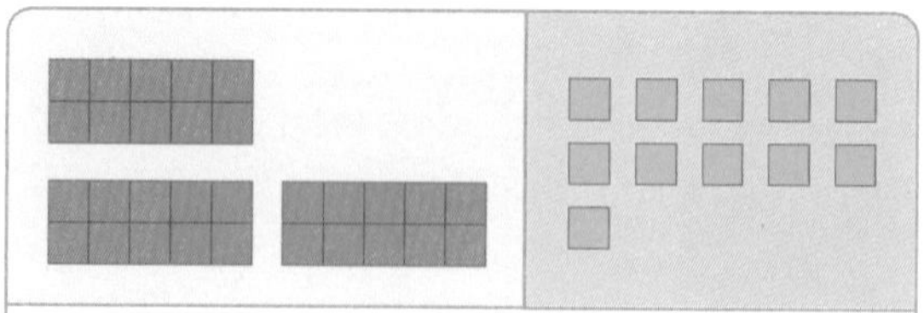

$$\begin{array}{rcc} & \overset{3}{\cancel{4}} & \overset{10}{1} \\ - & 2 & 7 \\ \hline & \square & \square \end{array}$$

3−2 ↗ ↖ 11−7

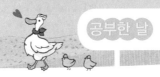

🌸 일의 자리, 십의 자리를 맞추어 뺄셈을 하시오.

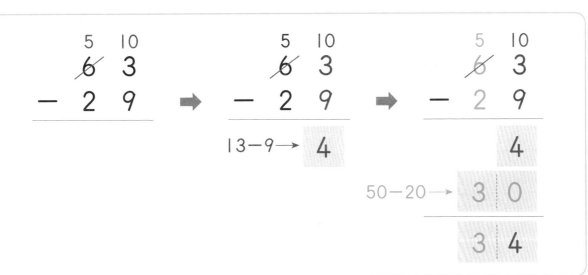

1

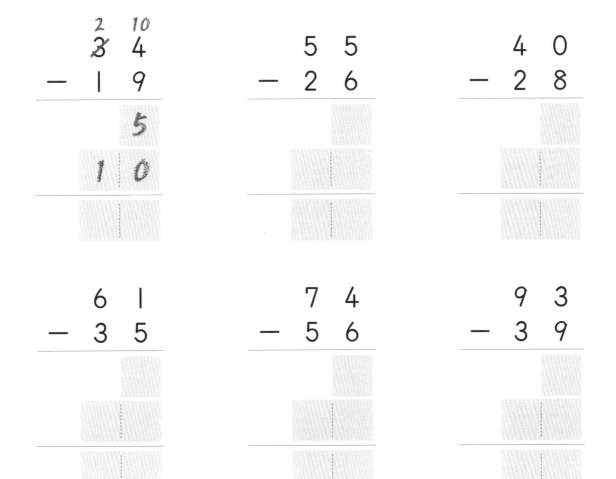

일의 자리, 십의 자리를 맞추어 뺄셈을 하시오.

5 10 ~~6~~ 2 − 1 9 ――― □	5 10 ~~6~~ 2 − 1 9 ――― 3	5 10 ~~6~~ 2 − 1 9 ――― 4 3

2 10 ~~3~~ 5 − 1 8 ――― □	5 0 − 2 1 ――― □	4 3 − 1 9 ――― □
5 6 − 3 7 ――― □	6 4 − 2 6 ――― □	7 2 − 3 5 ――― □

```
   6 2          5 3          7 4
 - 2 8        - 1 7        - 3 9
 -------      -------      -------
```

```
   8 1          6 0          9 2
 - 2 3        - 1 6        - 3 7
 -------      -------      -------
```

```
   7 3          9 6          8 4
 - 2 5        - 2 9        - 3 8
 -------      -------      -------
```

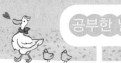

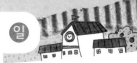

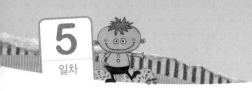

❂ 뺄셈을 하시오.

```
   3 0
 − 1 7
───────
```

```
   5 1
 − 3 9
───────
```

```
   4 0
 − 1 8
───────
```

```
   4 3
 − 2 7
───────
```

```
   3 2
 − 1 5
───────
```

```
   5 0
 − 1 6
───────
```

```
   6 5
 − 2 6
───────
```

```
   5 1
 − 2 3
───────
```

```
   7 4
───────
```

$$\begin{array}{r} 54 \\ -\ 17 \\ \hline \end{array}$$

$$\begin{array}{r} 65 \\ -\ 29 \\ \hline \end{array}$$

$$\begin{array}{r} 71 \\ -\ 46 \\ \hline \end{array}$$

$$\begin{array}{r} 62 \\ -\ 36 \\ \hline \end{array}$$

$$\begin{array}{r} 81 \\ -\ 57 \\ \hline \end{array}$$

$$\begin{array}{r} 92 \\ -\ 45 \\ \hline \end{array}$$

$$\begin{array}{r} 87 \\ -\ 39 \\ \hline \end{array}$$

$$\begin{array}{r} 73 \\ -\ 28 \\ \hline \end{array}$$

$$\begin{array}{r} 95 \\ -\ 67 \\ \hline \end{array}$$

(두 자리 수) − (두 자리 수)

연산 실력 체크

정답 수	/ 39개
날 짜	월 일

2~4주 사고력 연산을 학습하기 전에 기본 연산 실력을 점검해 보세요.

1. $36 - 24 =$

2. $65 - 11 =$

3. $28 - 13 =$

4. $60 - 46 =$

5. $50 - 25 =$

6. $70 - 14 =$

7. $34 - 11 =$

8. $52 - 25 =$

9. $41 - 13 =$

10. $74 - 34 =$

11. $80 - 47 =$

12. $65 - 36 =$

13. $45 - 27 =$ ☐

14. $63 - 29 =$ ☐

15. $51 - 14 =$ ☐

16. $92 - 36 =$ ☐

17. $85 - 42 =$ ☐

18. $62 - 13 =$ ☐

19. $46 - 16 =$ ☐

20. $31 - 13 =$ ☐

21. $67 - 30 =$ ☐

22. $87 - 29 =$ ☐

23. $73 - 56 =$ ☐

24. $96 - 27 =$ ☐

```
    4 3
  - 2 1
  -----
```

26.
```
    5 7
  - 1 3
  -----
```

27.
```
    7 6
  - 3 4
  -----
```

28.
```
    5 0
  - 3 7
  -----
```

29.
```
    7 0
  - 1 4
  -----
```

30.
```
    9 0
  - 4 5
  -----
```

31.
```
    4 3
  - 1 6
  -----
```

32.
```
    5 1
  - 2 7
  -----
```

33.
```
    6 5
  - 3 9
  -----
```

34.
```
    9 2
  - 2 9
  -----
```

35.
```
    8 4
  - 1 8
  -----
```

36.
```
    7 7
  -----
```

37.
$$\begin{array}{r} 9\ 2 \\ -\ 3\ 8 \\ \hline \end{array}$$

38.
$$\begin{array}{r} 8\ 1 \\ -\ 4\ 4 \\ \hline \end{array}$$

39.
$$\begin{array}{r} 9\ 3 \\ -\ 5\ 8 \\ \hline \end{array}$$

연산 실력 분석

오답 수에 맞게 학습을 진행하시기 바랍니다.

평가	오답 수	학습 방법
최고예요	0 ~ 2개	전반적으로 학습 내용에 대해 정확히 이해하고 있으며 매우 우수합니다. 기본 연산 문제를 자신 있게 풀 수 있는 실력을 갖추었으므로 이제는 사고력을 향상시킬 차례입니다. 2주차부터 차근차근 학습을 진행해 보세요. 학습 [2주차] → [3주차] → [4주차]
잘했어요	3 ~ 4개	기본 연산 문제를 전반적으로 잘 이해하고 풀었지만 약간의 실수가 있는 것 같습니다. 틀린 문제를 다시 한 번 풀어 보고, 문제를 차근차근 푸는 습관을 갖도록 노력해 보세요. 매스티안 홈페이지에서 제공하는 보충 학습으로 연산 실력을 향상시킨 후 2, 3, 4주차 학습을 진행해 주세요. 학습 [틀린 문제 복습] → [보충 학습] → [2주차] → ···
노력해요	5개 이상	개념을 정확하게 이해하고 있지 않아 연산을 하는데 어려움이 있습니다. 개념을 이해하고 연산 문제를 반복해서 연습해 보세요. 매스티안 홈페이지에서 제공하는 보충 학습이 연산 실력을 향상시키는데 도움이 될 것입니다. 여러분도 곧 연산왕이 될 수 있습니다. 조금만 힘을 내 주세요. 학습 [1주차 원리 중심 복습] → [보충 학습] → [2주차] → ···

매스티안 홈페이지 : www.mathtian.com

B03 (두 자리 수)-(두 자리 수)

학습관리표

일 자			소요 시간	틀린 문항 수	확인
❶ 일차	월	일	:		
❷ 일차	월	일	:		
❸ 일차	월	일	:		
❹ 일차	월	일	:		
❺ 일차	월	일	:		

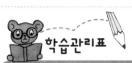

2 주

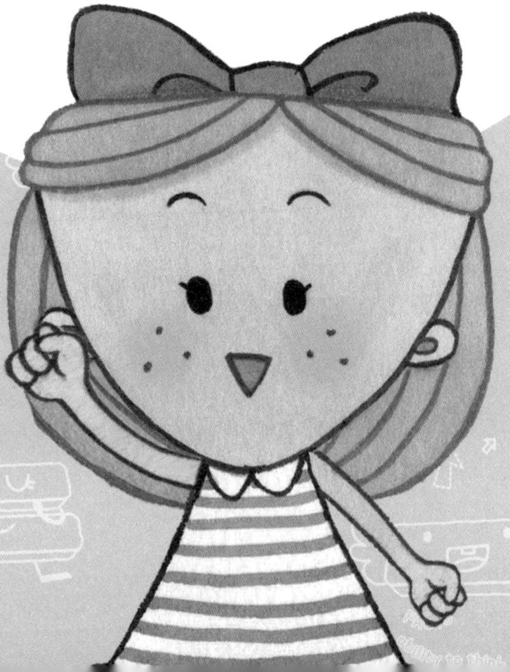

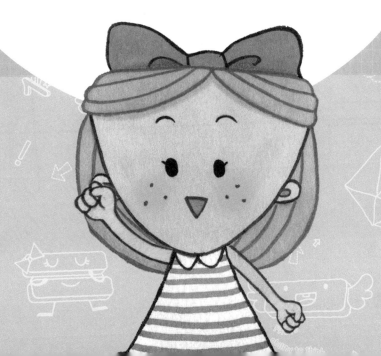

길 찾기

사다리타기를 하여 ▒ 안에 알맞은 수를 써넣으시오.

보기

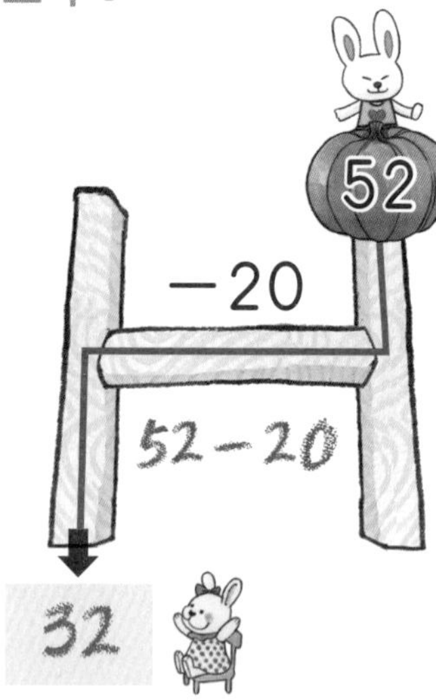

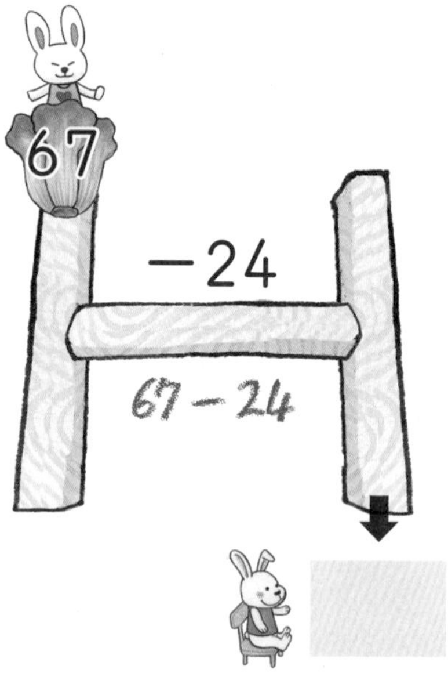

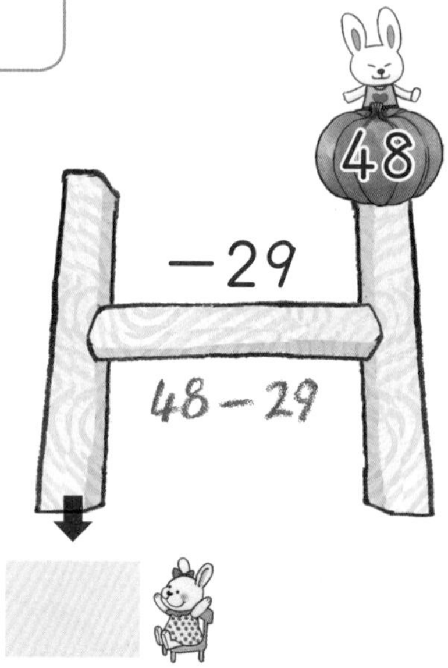

49 - 19   60 - 19

2

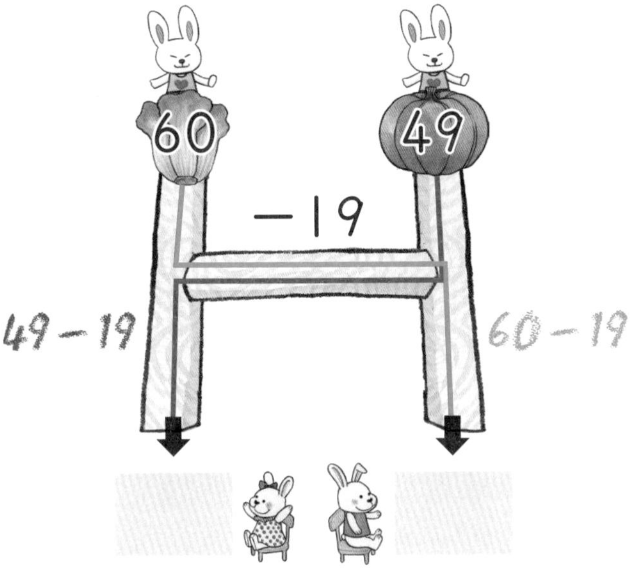

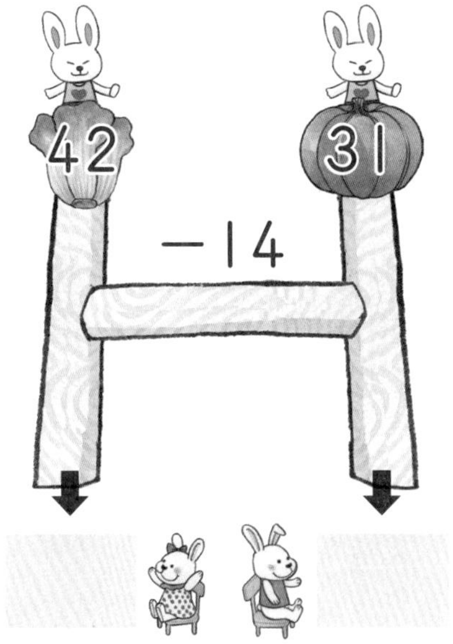

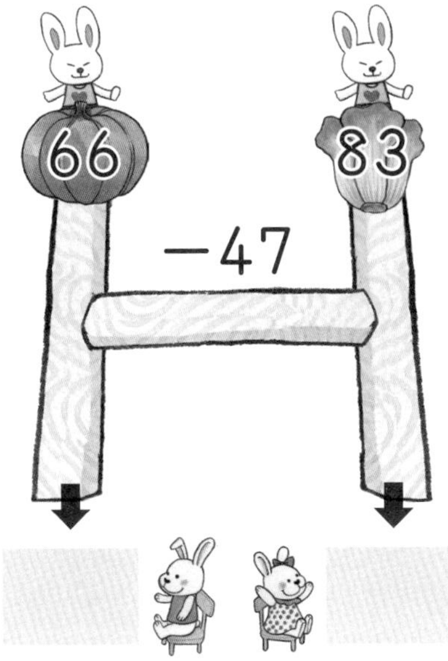

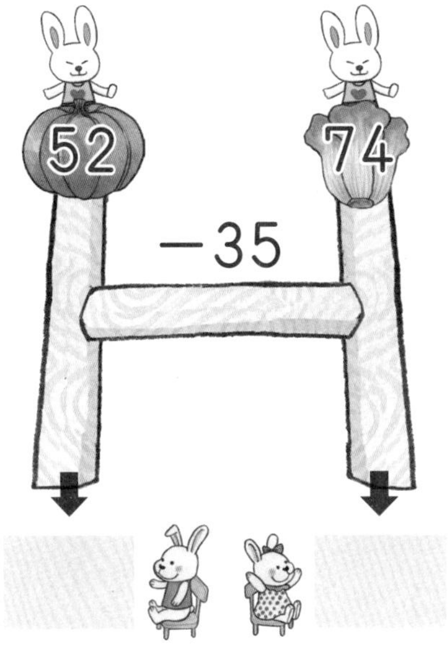

올바른 뺄셈식이 되도록 선을 그어 보시오.

보기

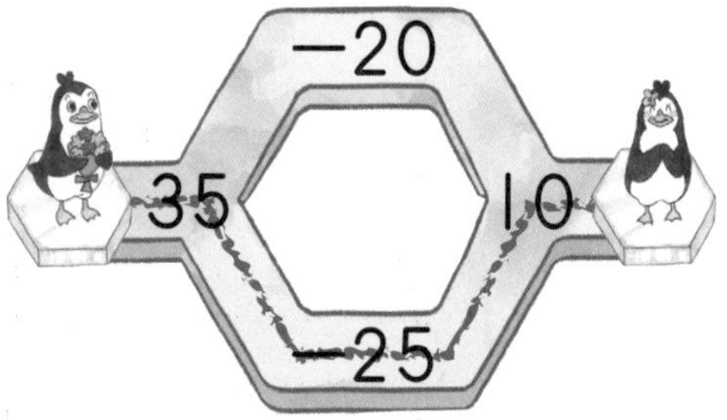

35 − 25 = 10

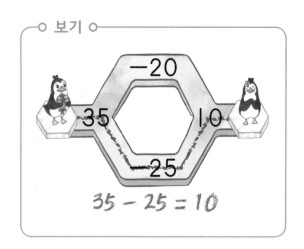

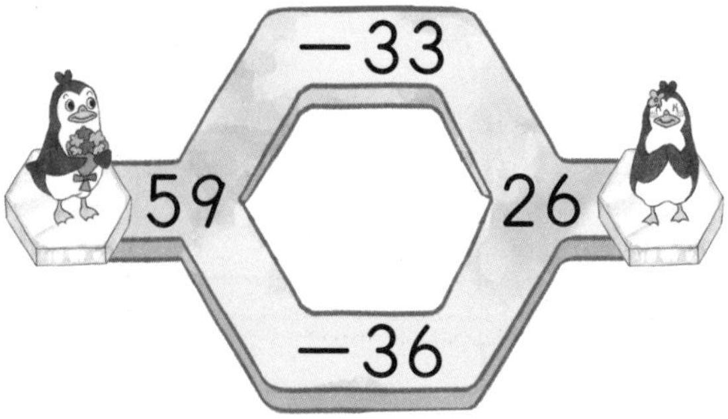

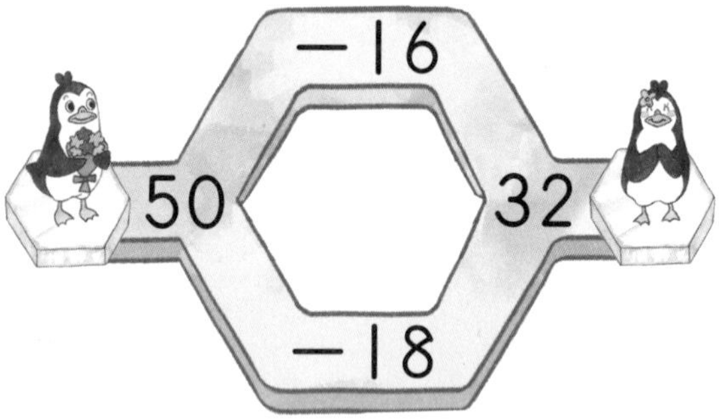

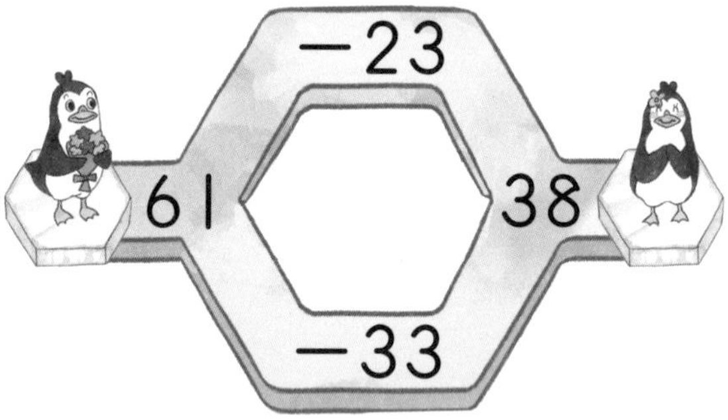

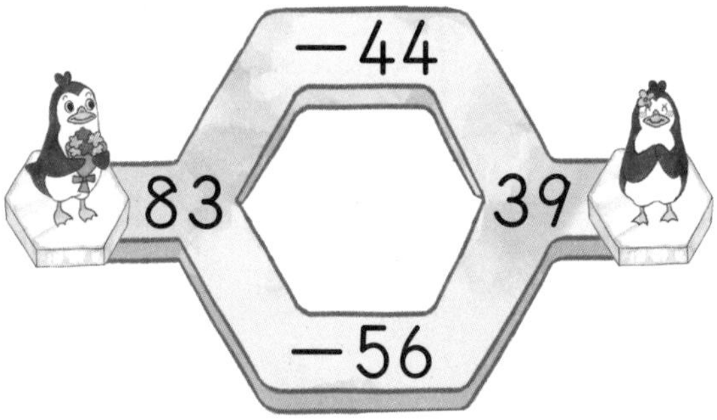

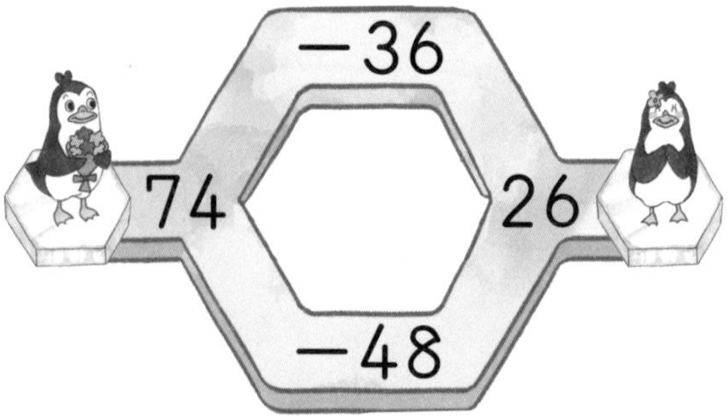

계산 결과가 더 큰 수를 따라갈 때, 고양이가 만나는 동물에 ◯표 하시오.

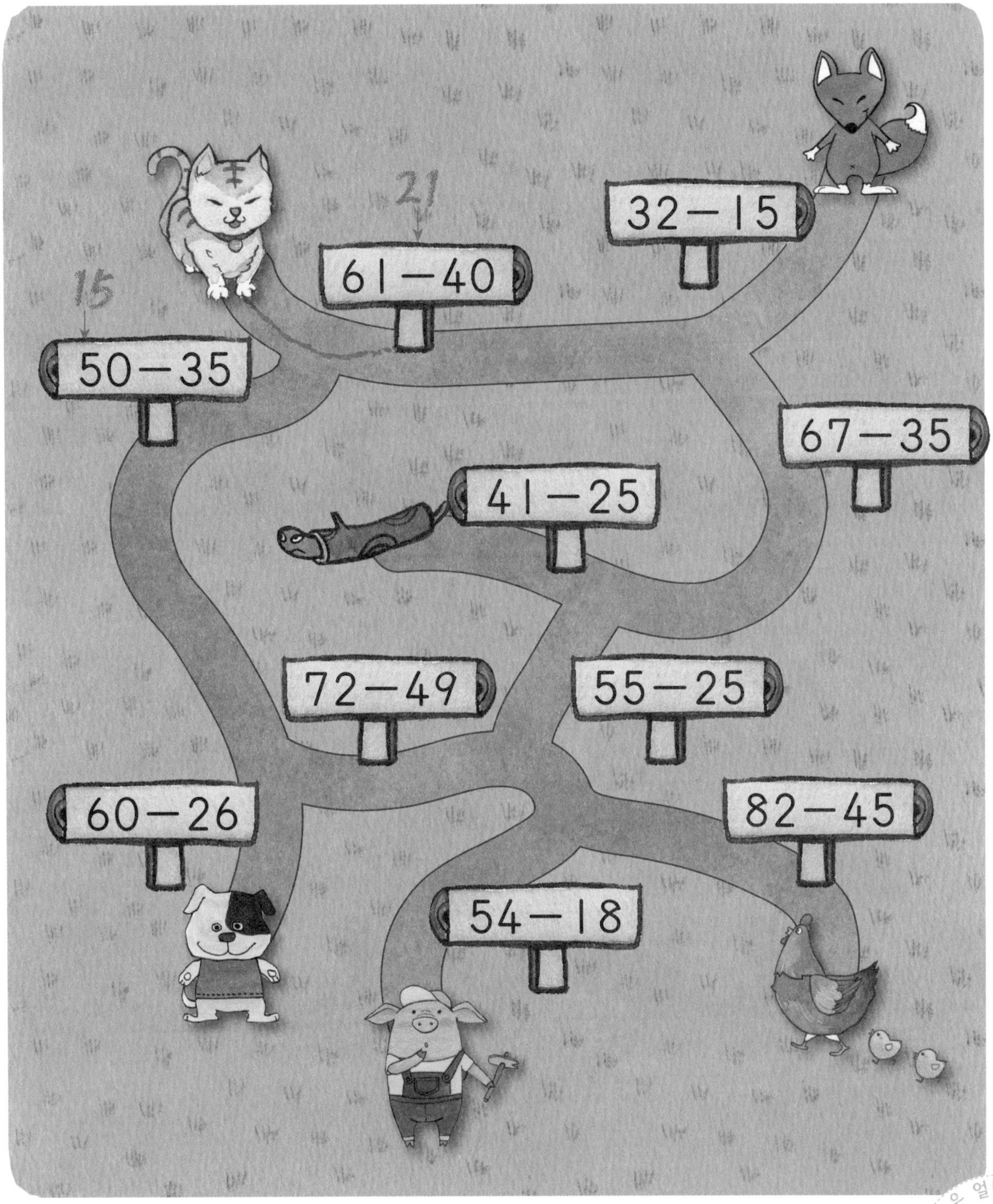

2 일차

뺄셈 로봇

뺄셈 로봇이 미로를 통과했을 때의 결과를 빈 곳에 써넣으시오.

보기

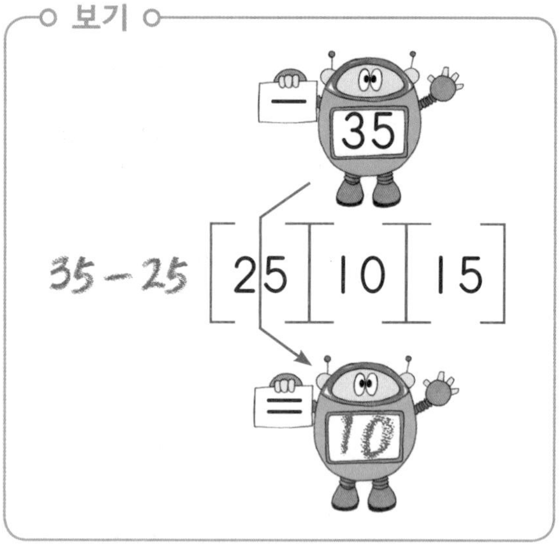

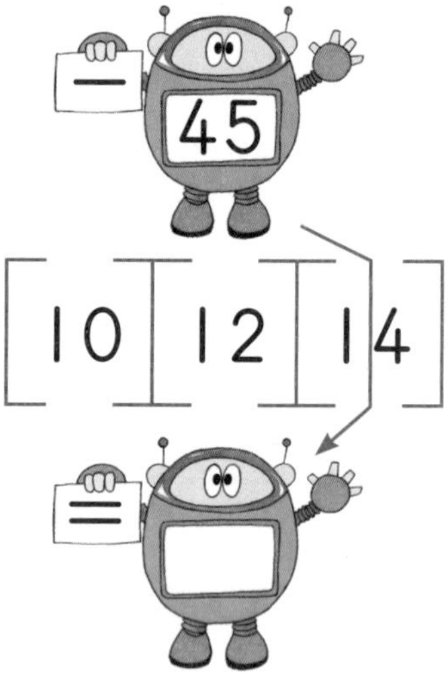

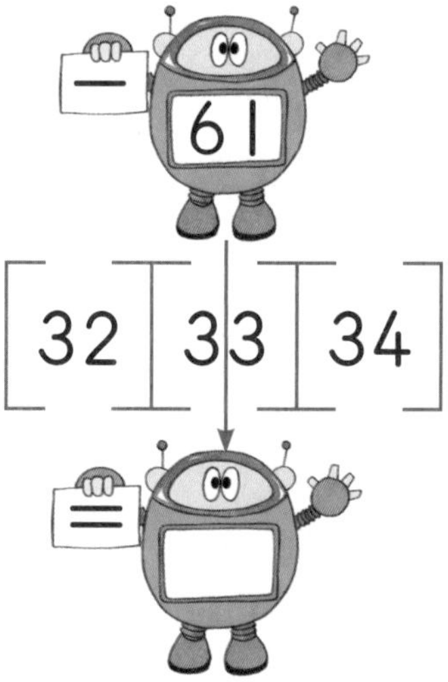

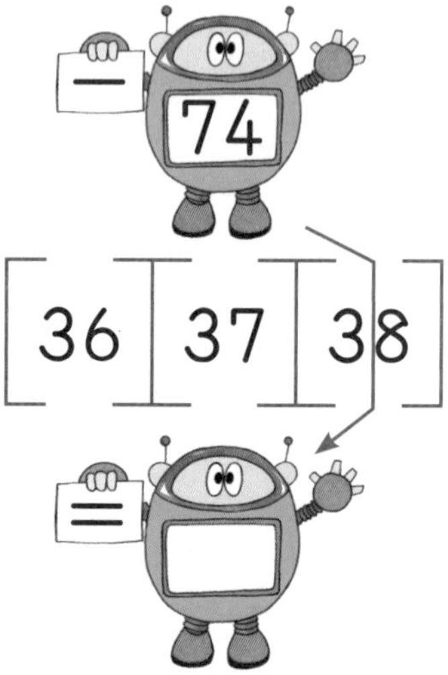

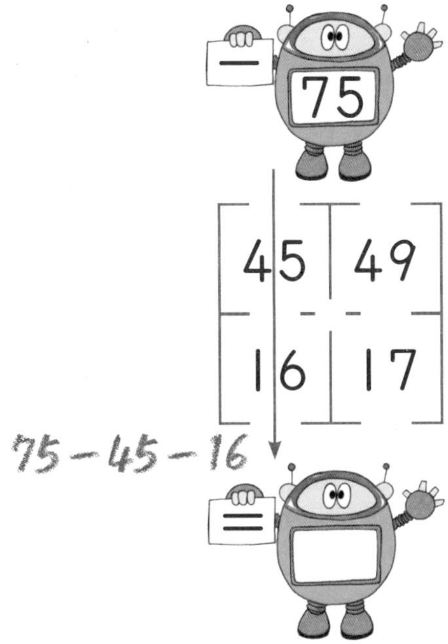
−
75
45
49
16
17
75−45−16
=

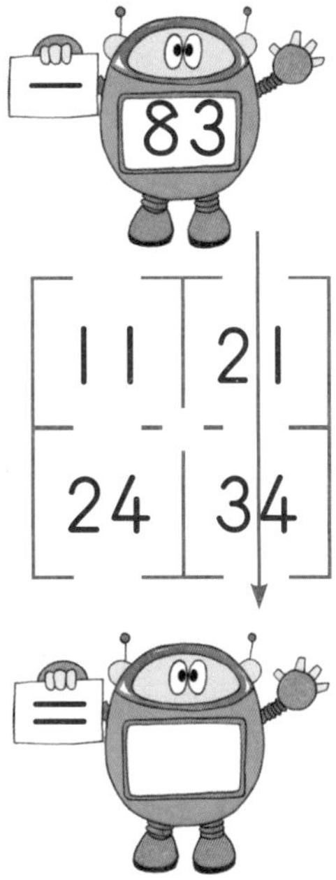
−
83
11
21
24
34
=

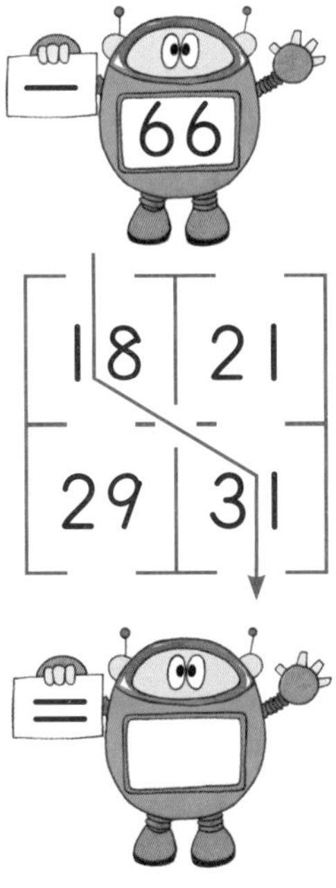
−
66
18
21
29
31
=

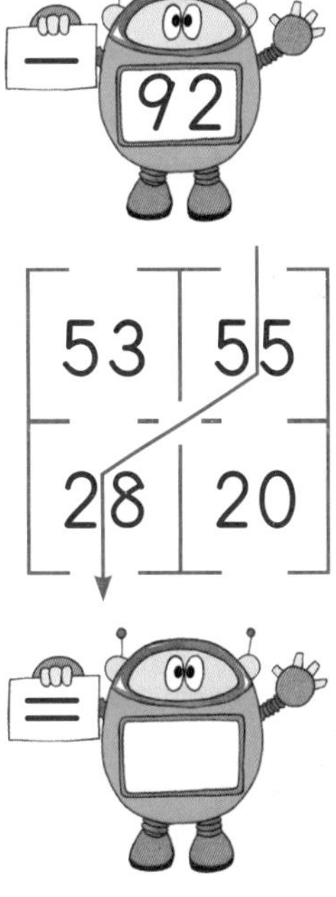
−
92
53
55
28
20
=

빨셈 로봇이 미로를 통과한 길을 표시하시오.

보기

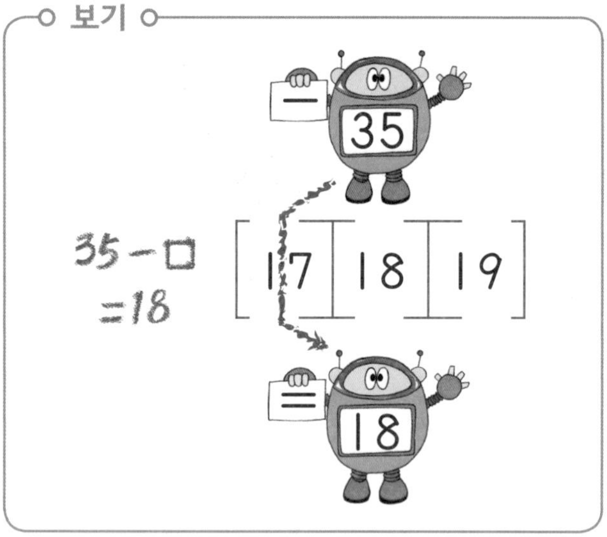

－ 35
35－□
=18
17 18 19
＝ 18

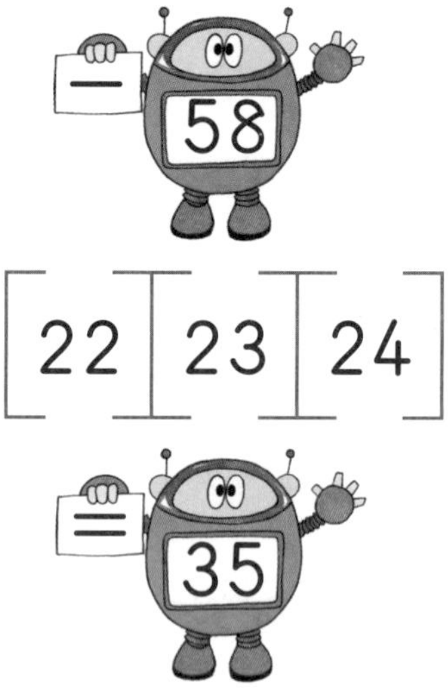

－ 58
22 23 24
＝ 35

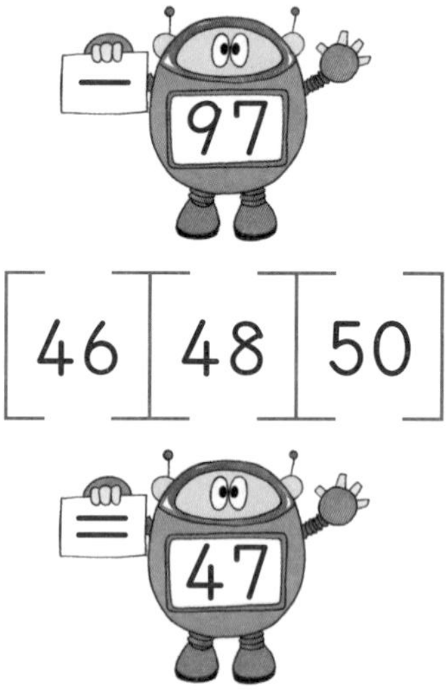

－ 97
46 48 50
＝ 47

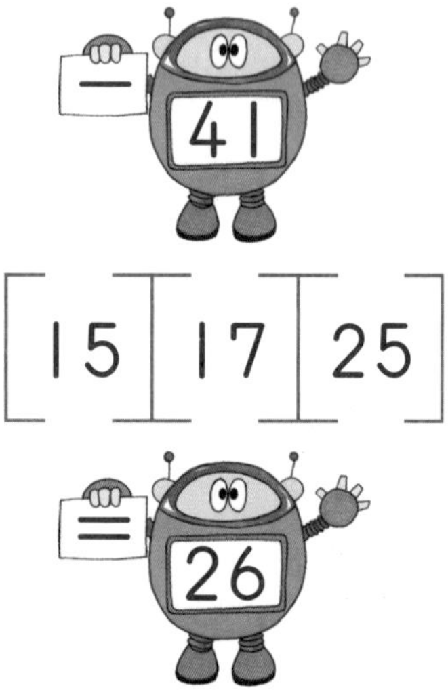

－ 41
15 17 25
＝ 26

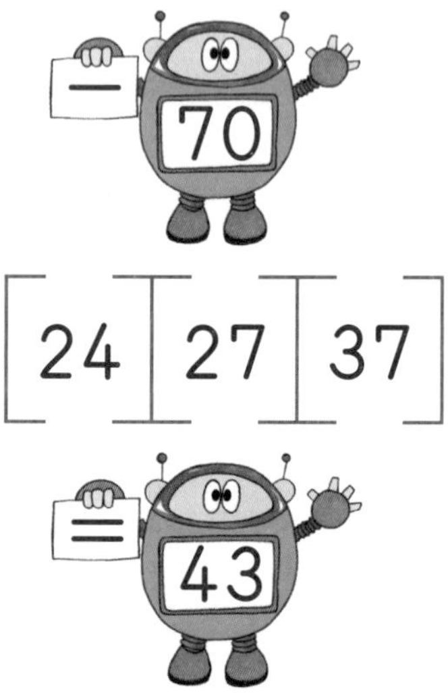

－ 70
24 27 37
＝ 43

주어진 가로·세로 열쇠를 보고 퍼즐을 풀어 보시오.

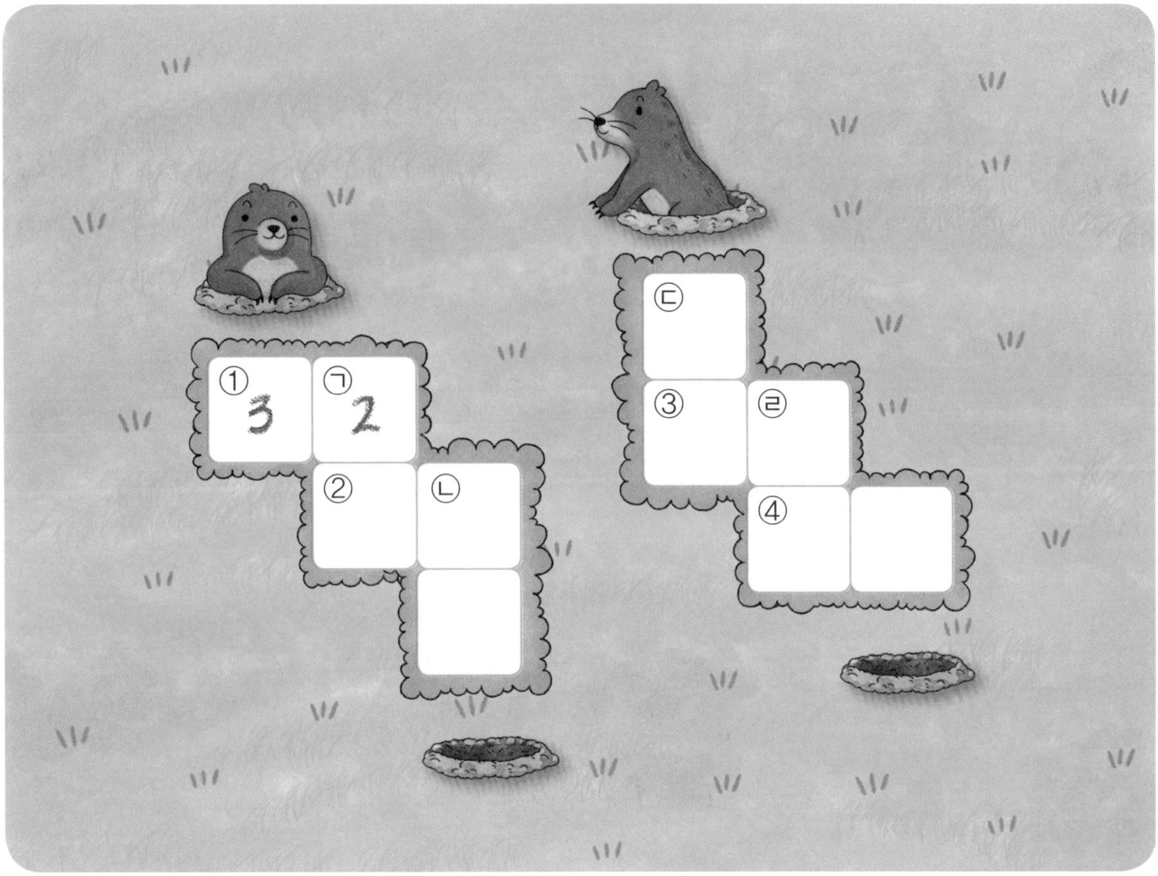

가로 열쇠	세로 열쇠
① 45−13 = 32	㉠ 77−50
② 91−15	㉡ 82−13
③ 87−19−14	㉢ 60−21−14
④ 72−26−15	㉣ 94−16−35

오늘은 얼마나 잘했을까요?
칭찬 붙임 딱지를 붙여 주세요!

3 일차 올바른 식 찾기

주어진 식 중 올바른 식을 찾아 ◯표 하시오.

보기

$65-32=33$ (◯)

$76-24=42$ (42 crossed out, corrected to 52)

$54-23=31$

$67-22=55$

$80-32=58$

$91-32=59$

$73-29=54$

$76-58=18$

$45-29=16$

$51-32=29$

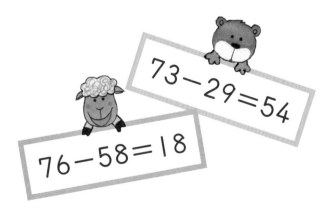

주어진 계산 값이 나오는 뺄셈식을 찾아 ◯표 하시오.

보기

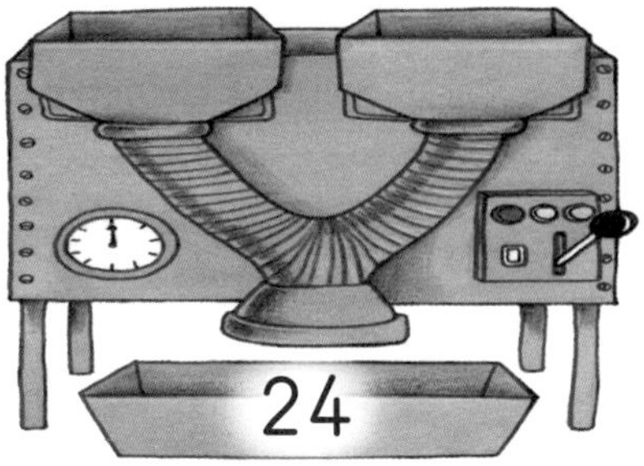

$$\begin{array}{r} 6\ 7 \\ -\ 3\ 1 \\ \hline \end{array}$$

$$\begin{array}{r} 8\ 1 \\ -\ 5\ 5 \\ \hline \end{array}$$

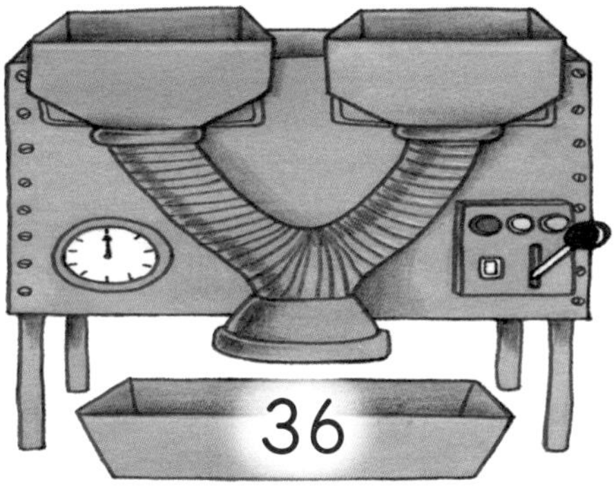

$$\begin{array}{r} 8\ 4 \\ -\ 5\ 1 \\ \hline \end{array}$$

$$\begin{array}{r} 7\ 2 \\ -\ 2\ 9 \\ \hline \end{array}$$

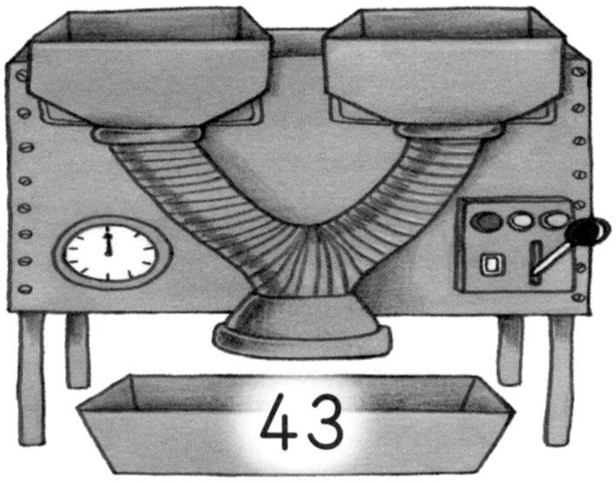

$$\begin{array}{r} 5\ 6 \\ -\ 3\ 7 \\ \hline \end{array}$$

$$\begin{array}{r} 4\ 7 \\ -\ 1\ 8 \\ \hline \end{array}$$

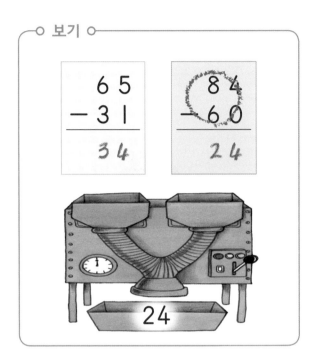

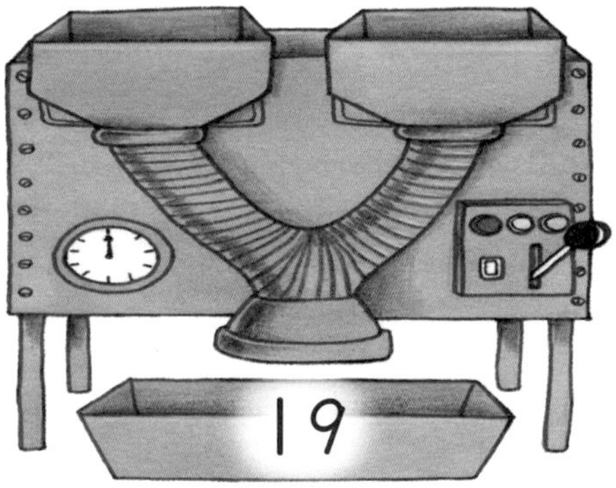

✿ 1개의 수를 ✕표로 지워 남은 두 수의 차가 주어진 수가 되도록 하시오.

45 − 25

25	~~35~~	45	20

75	40	25	35

67	36	42	25

78	56	26	22

46	85	44	41

36	68	93	32

42	61	82	19

21	49	73	24

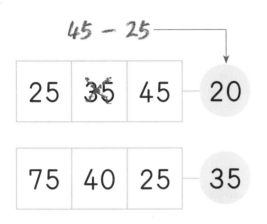

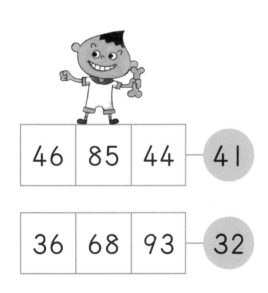

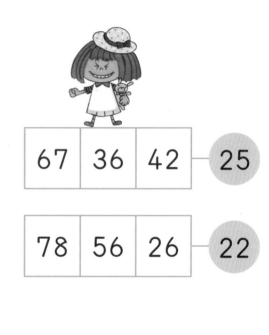

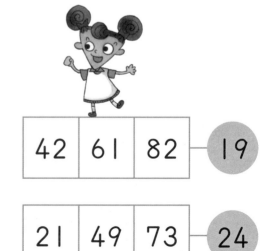

🌻 표에서 계산한 값의 색깔을 찾아 알맞게 색칠해 보시오.

준비물 ▶ 색연필

14	31	57	68
◯	◯	◯	◯

2

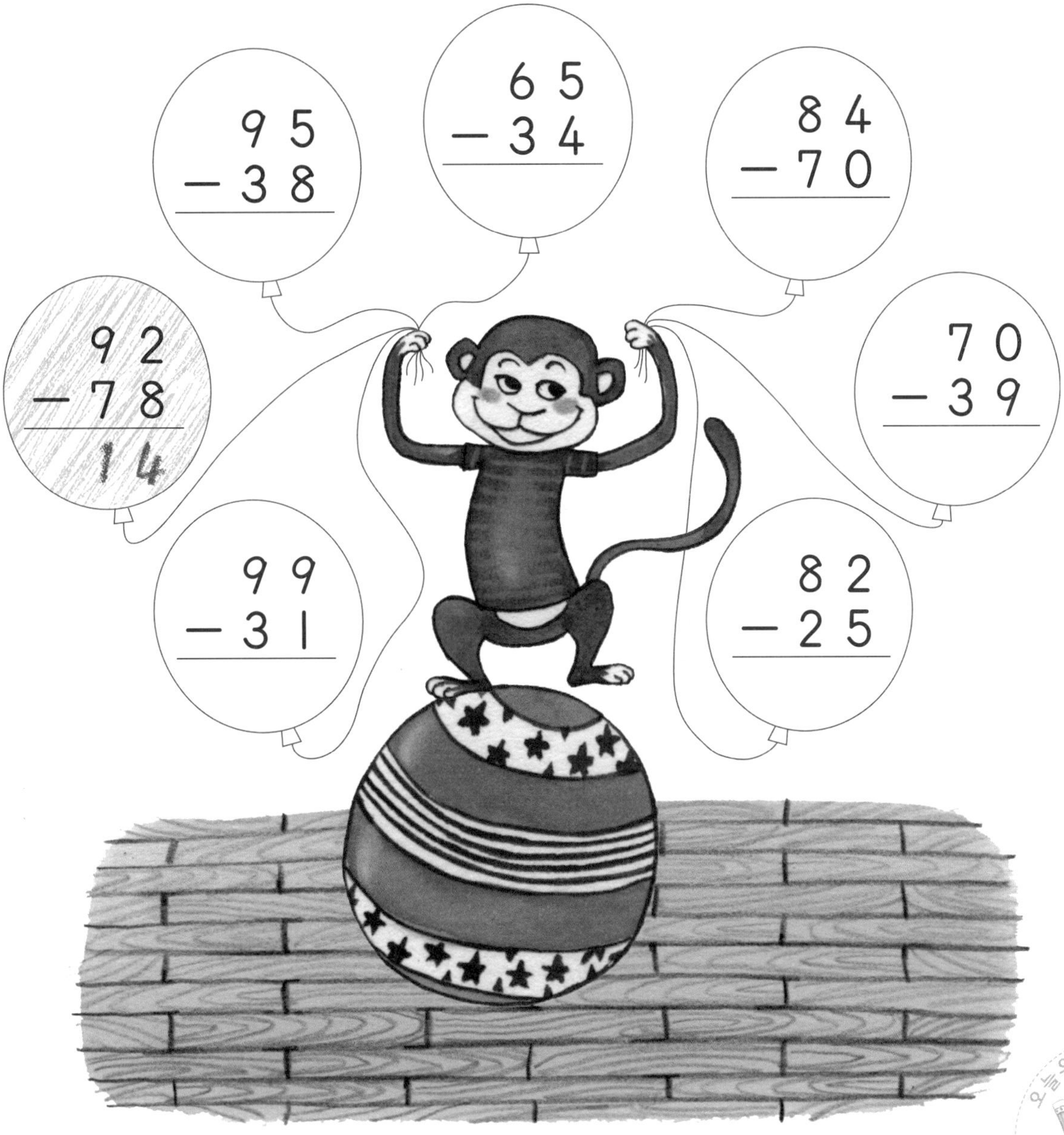

측정 셈

안에 알맞은 수를 써넣으시오.

보기

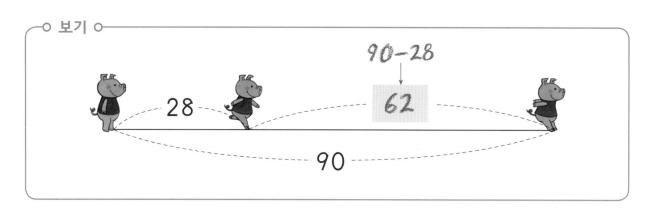

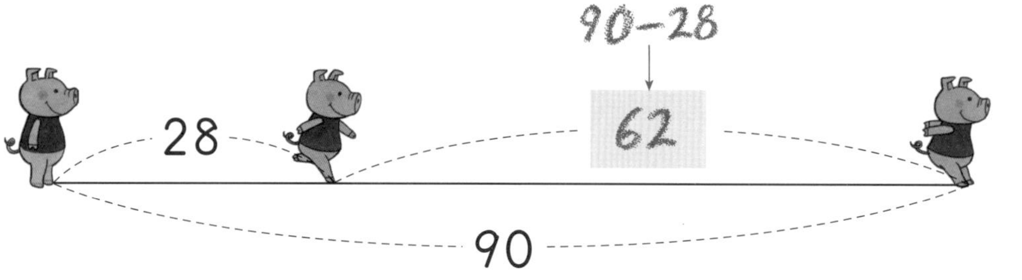

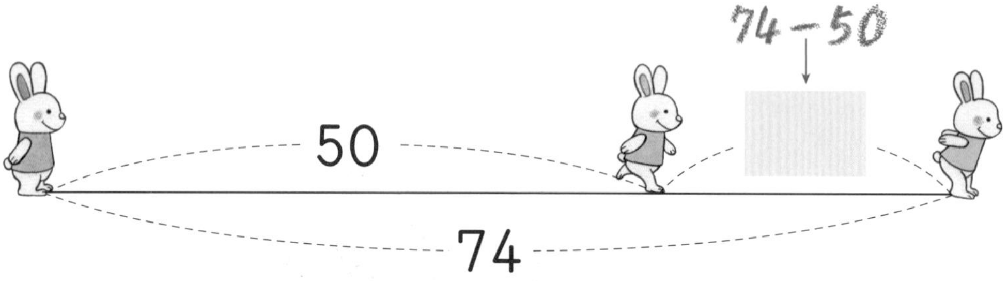

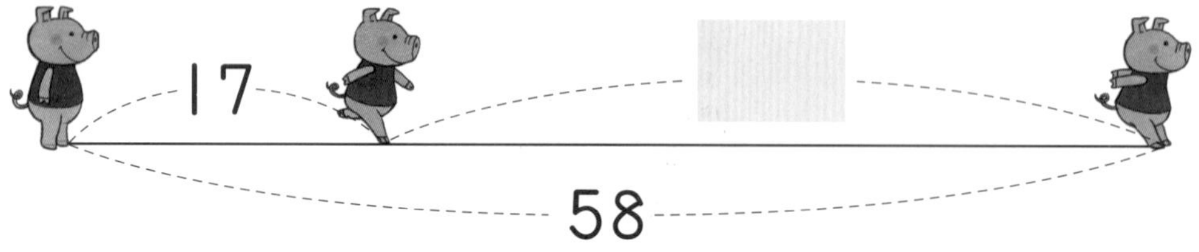

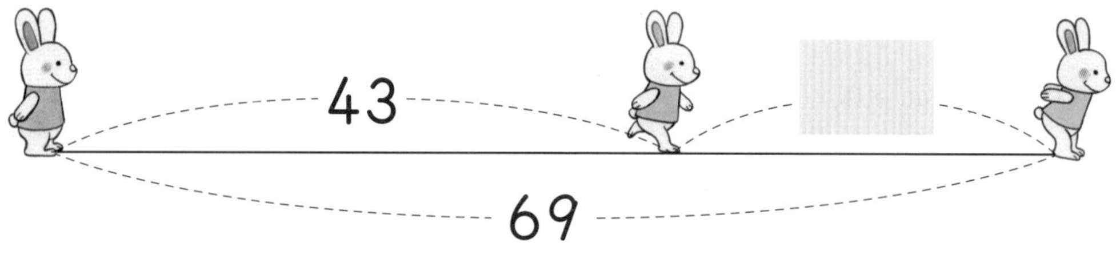

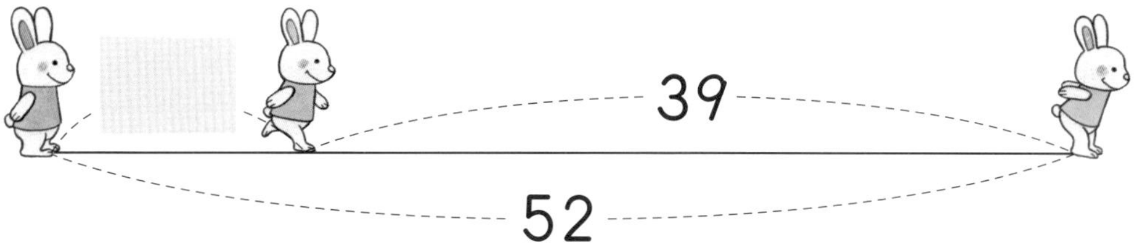
39
52

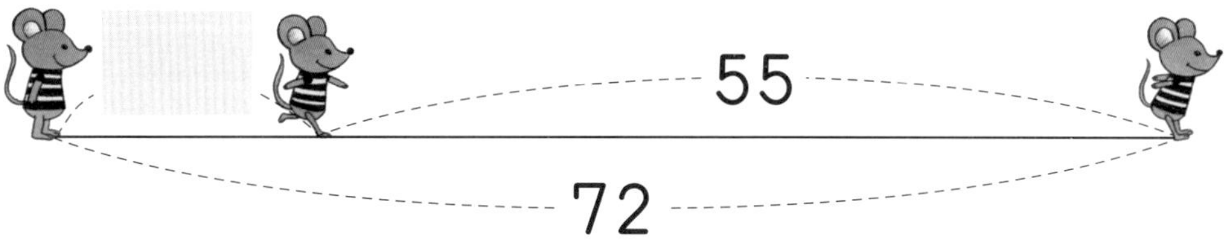
55
72

38
81

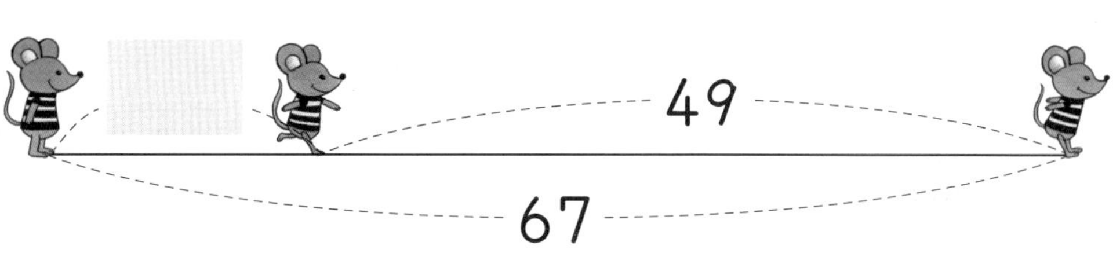
49
67

양팔 저울이 수평을 이루도록 [ ] 안에 알맞은 수를 써넣으시오.

보기

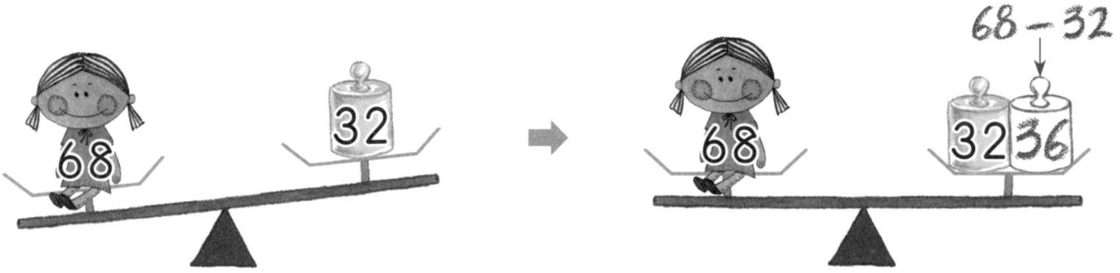

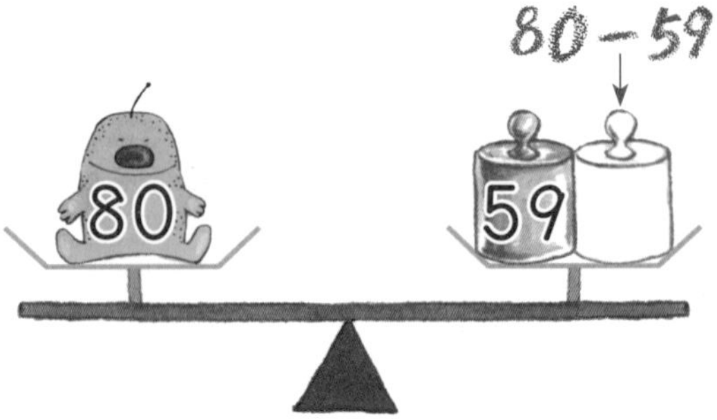

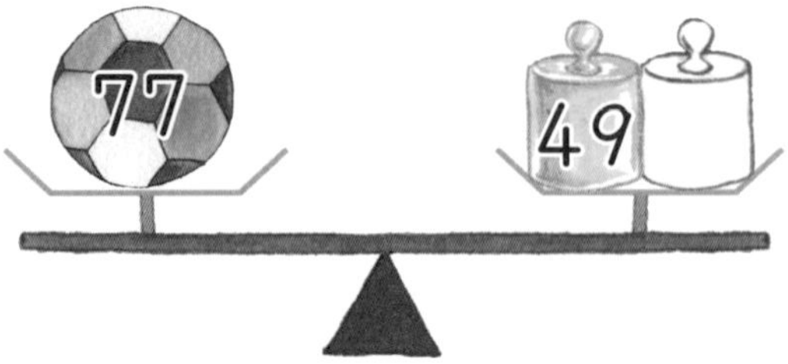

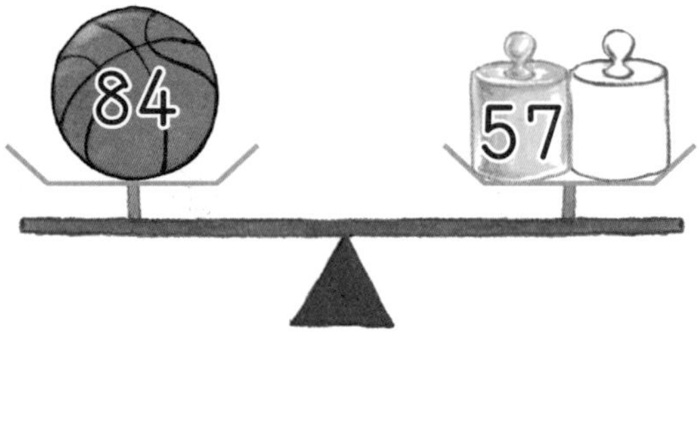

원숭이, 토끼, 오리의 키를 구하여 ▒ 안에 알맞은 수를 써넣으시오.

▒	▒	▒

화살표 약속

화살표 약속을 따라 ▒ 안에 알맞은 수를 써넣으시오.

화살표 약속

→ 33 작은 수

→ 11 작은 수

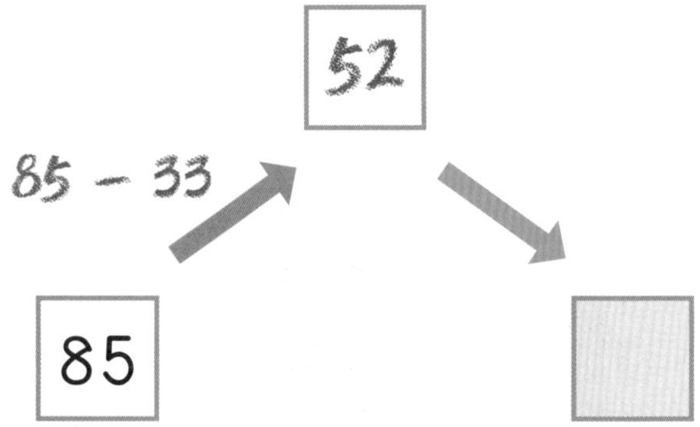

화살표 약속

→ 42 작은 수

→ 17 작은 수

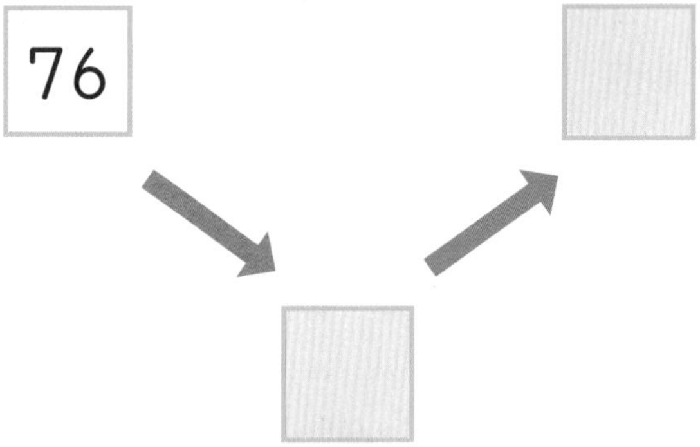

화살표 약속

→ 28 작은 수

→ 39 작은 수

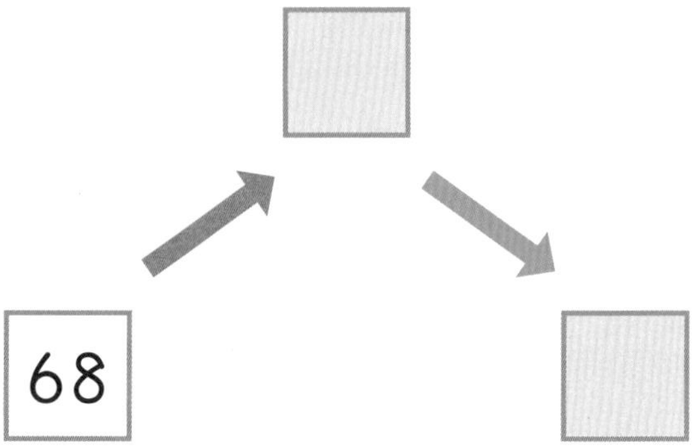

화살표 약속

→	18 작은 수
→	29 작은 수
→	34 큰 수

89 → □ ↙ □ → □

화살표 약속

→	28 큰 수
→	19 작은 수
→	18 작은 수

28 → □ ↙ □ → □

화살표 약속

→	27 작은 수
→	34 작은 수
→	19 작은 수

99 → □ ↙ □ → □

화살표 약속을 따라 ▒ 안에 알맞은 수를 써넣으시오.

화살표 약속

→ 13 작은 수

→ 29 작은 수

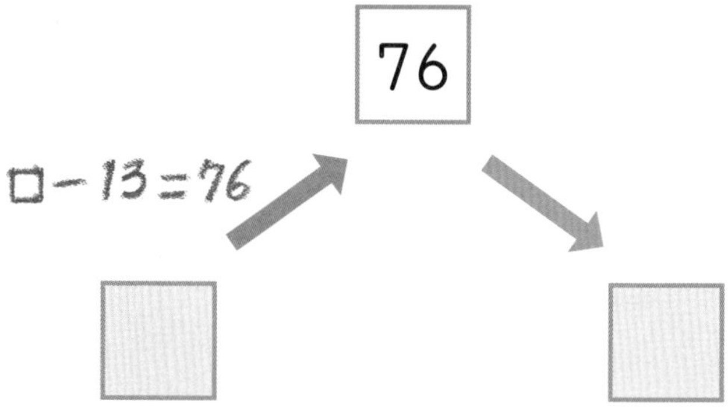

화살표 약속

→ 24 큰 수

→ 39 작은 수

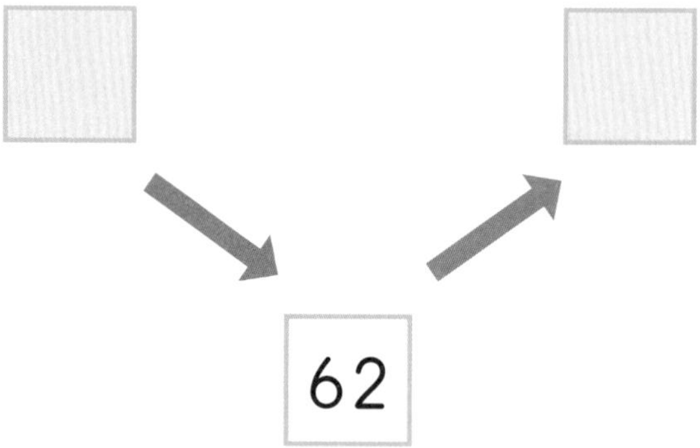

화살표 약속

→ 27 작은 수

→ 39 큰 수

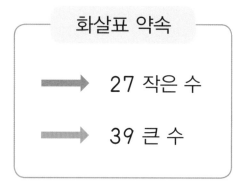

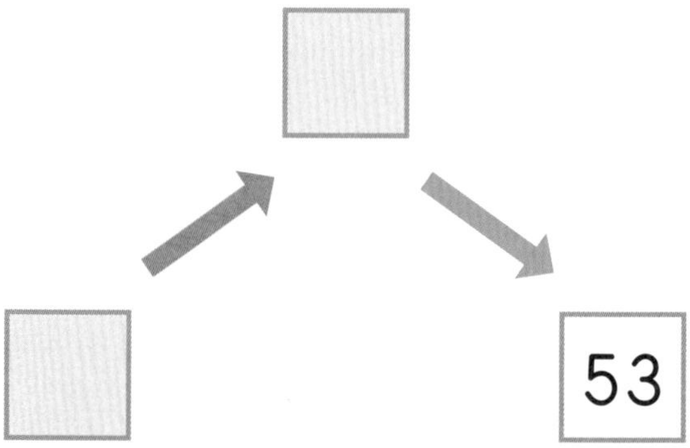

화살표 약속에 따라 ▒ 안에 알맞은 수를 써넣으시오.

화살표 약속

➡ 17 작은 수 ➡ 29 작은 수 ➡ 35 큰 수

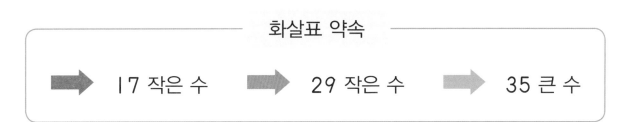

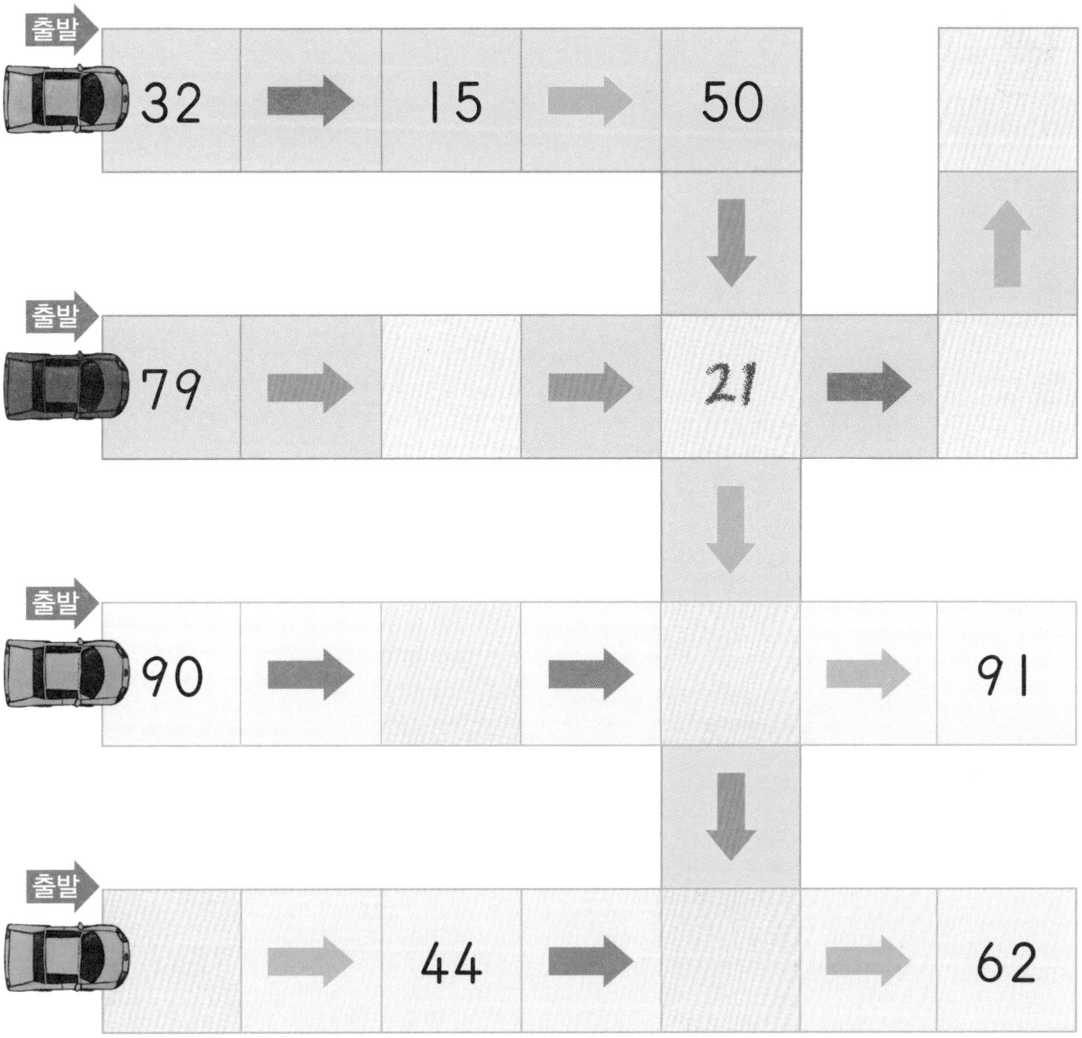

오늘은 얼마나 잘했을까요?
칭찬 붙임 딱지를 붙여 주세요!

B03

(두 자리 수)-(두 자리 수)

학습관리표

일 자			소요 시간	틀린 문항 수	확인
1 일차	월	일	:		
2 일차	월	일	:		
3 일차	월	일	:		
4 일차	월	일	:		
5 일차	월	일	:		

3 주

1 일차

빼기 몇십 8, 몇십 9

□ 안에 알맞은 수를 써넣으시오.

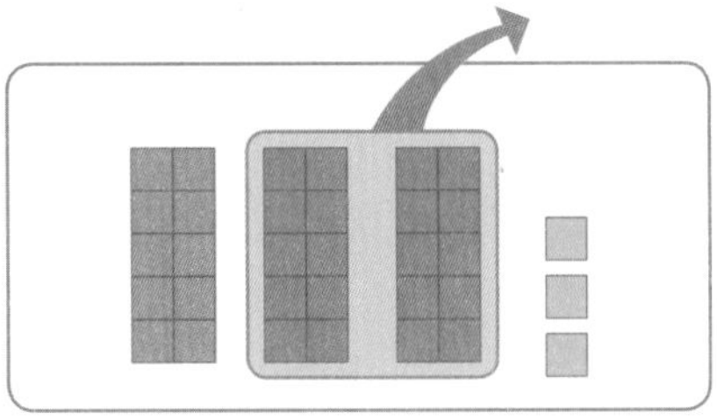

33 − 20 = □

+1 →

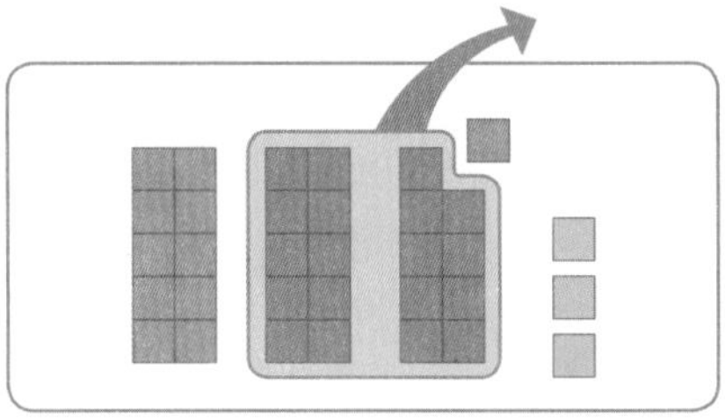

33 − 19 = □

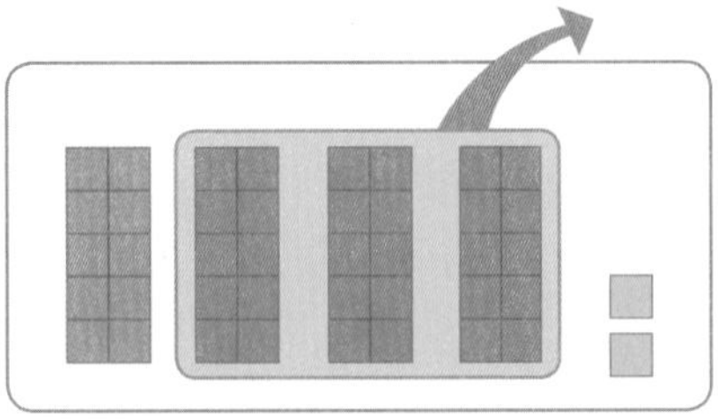

42 − 30 = □

+1 →

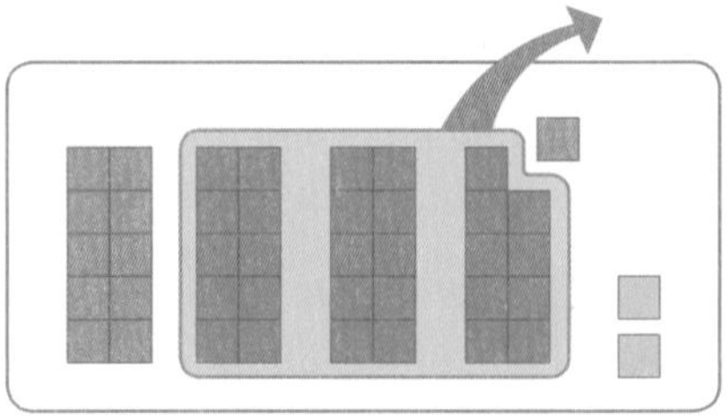

42 − 29 = □

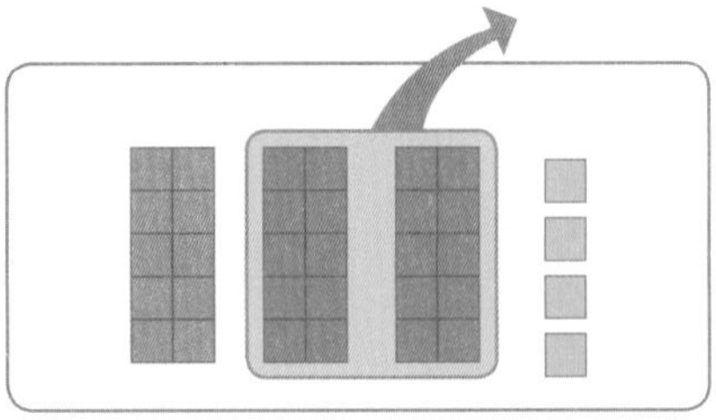

34 − 20 = □

+2 →

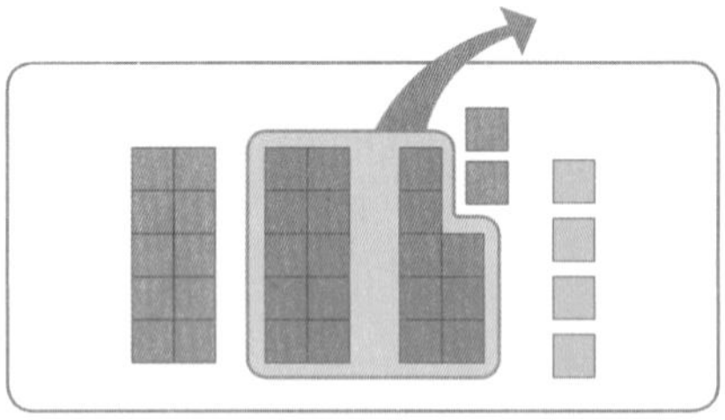

34 − 18 = □

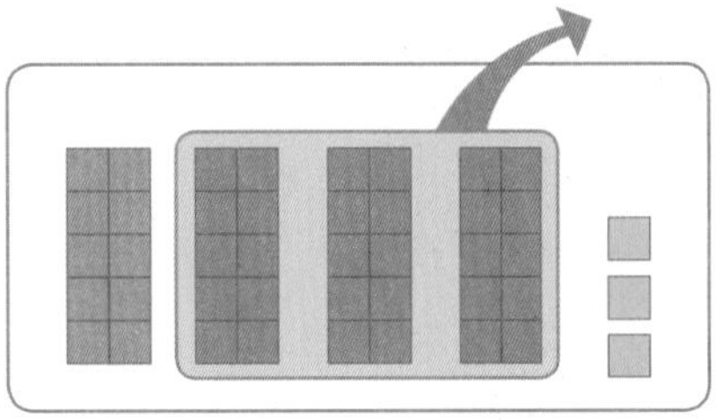

43 − 30 = □

+2 →

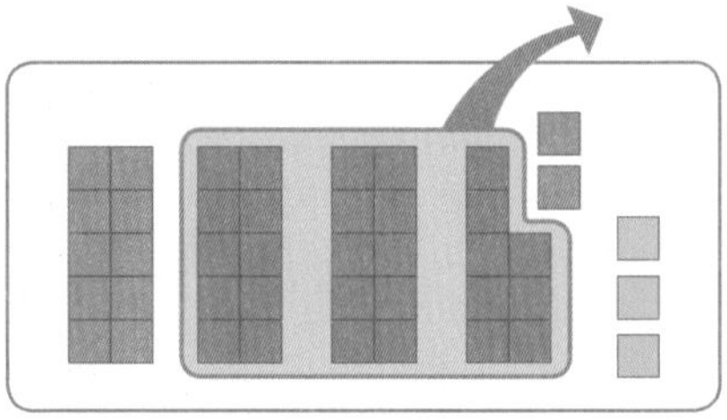

43 − 28 = □

안에 알맞은 수를 써넣으시오.

$50 - 19 = \square$

$50 - 20$ → $+1$

$90 - 18 = \square$

$90 - 20$ → $+2$

$47 - 29 = \square$

$47 - 30$ → $+1$

$66 - 28 = \square$

$66 - 30$ → $+2$

$74 - 39 = \square$

$74 - 40$ → $+1$

$83 - 38 = \square$

$83 - 40$ → $+2$

$31 - 19 = \square$

$31 - 20$ → $+1$

$45 - 18 = \square$

$45 - 20$ → $+2$

우주선이 지나간 길의 두 수의 차가 안의 수가 되도록 연결하고, 식으로 나타내시오.

보기

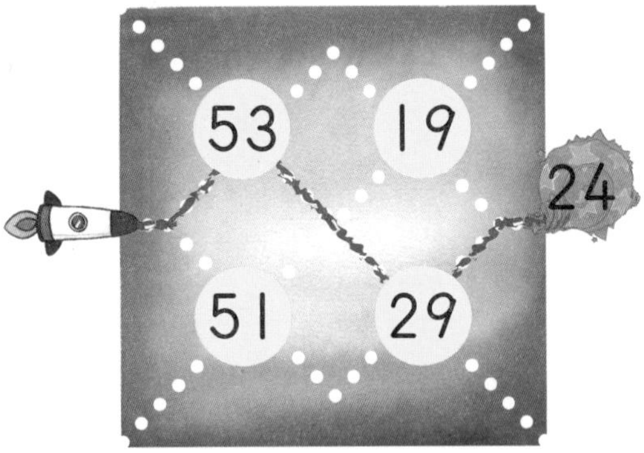

식 53 − 29 = 24

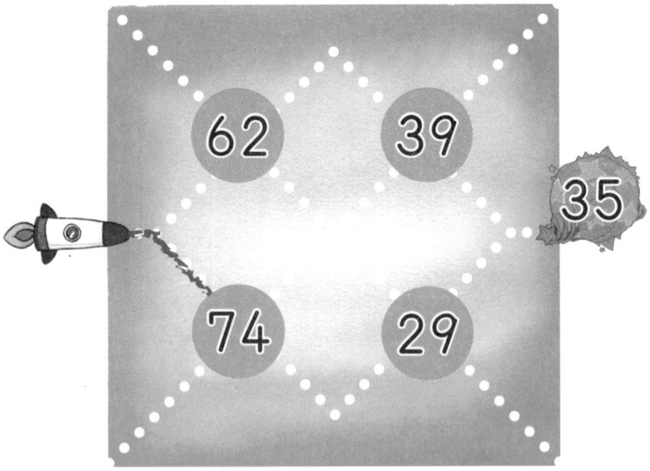

식

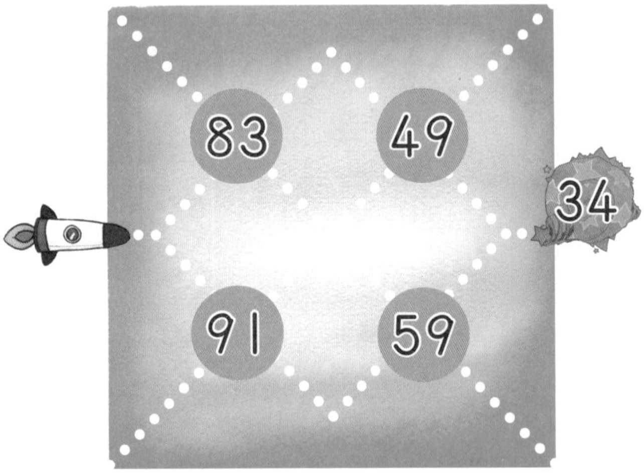

식

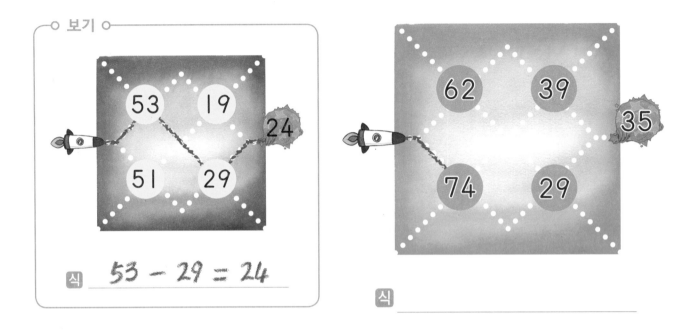

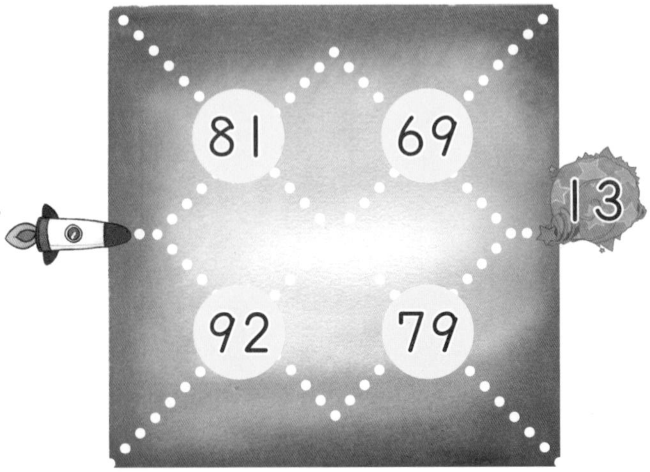

식

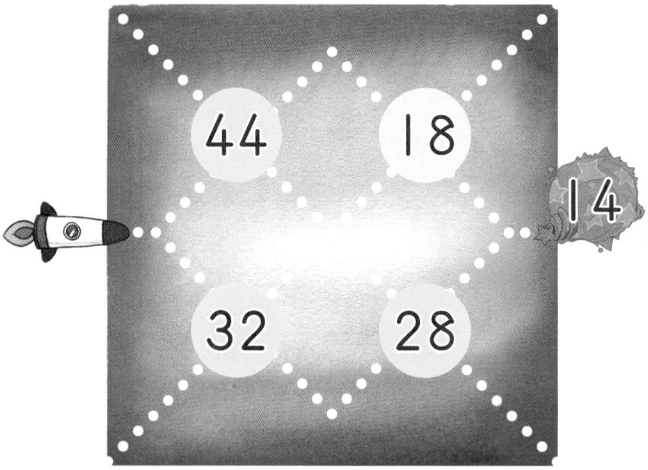

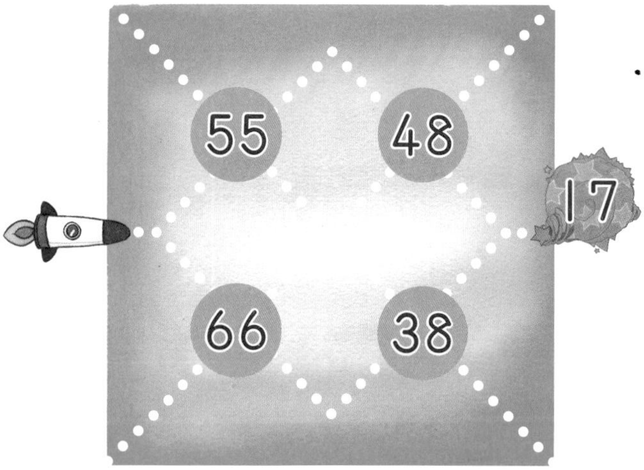

식

식

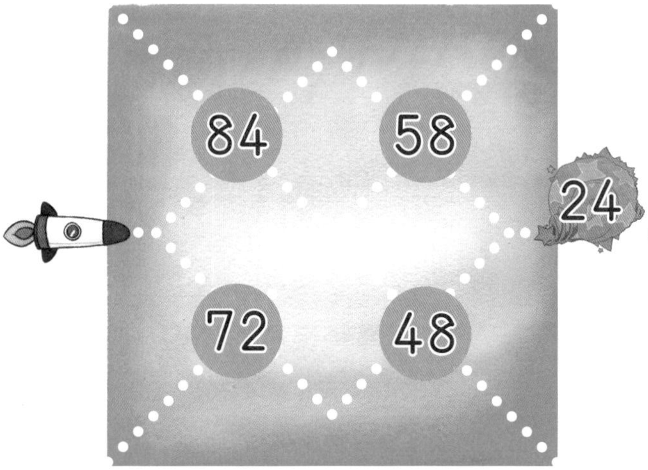

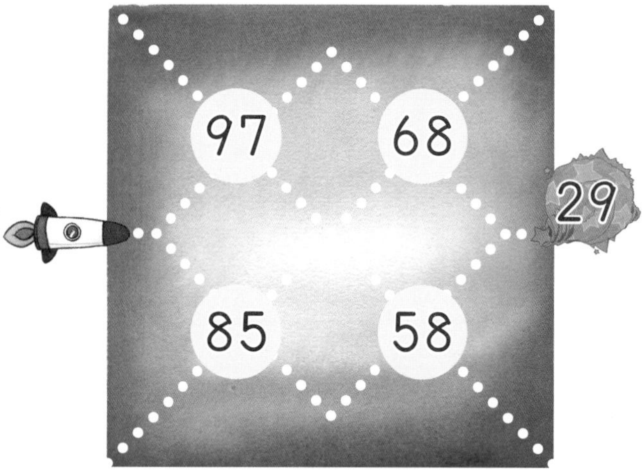

식

식

오늘은 얼마나 잘했을까요?
칭찬 붙임 딱지를 붙여 주세요!

약속 셈

🌷 약속에 맞게 식을 계산하여 ▨ 안에 알맞은 수를 써넣으시오.

> **약속**   가 ◆ 나 = 가 − 나 + 20

50 ◆ 30 = $\boxed{50}$ − $\boxed{30}$ + 20 = $\boxed{40}$

74 ◆ 41 = $\boxed{}$ − $\boxed{}$ + 20 = $\boxed{}$

86 ◆ 68 = $\boxed{}$ − $\boxed{}$ + 20 = $\boxed{}$

> **약속**   가 ▲ 나 = 가 − 나 − 19

70 ▲ 40 = $\boxed{70}$ − $\boxed{}$ − $\boxed{19}$ = $\boxed{}$

48 ▲ 15 = $\boxed{}$ − $\boxed{}$ − $\boxed{}$ = $\boxed{}$

93 ▲ 39 = $\boxed{}$ − $\boxed{}$ − $\boxed{}$ = $\boxed{}$

약속 가 ★ 나 = 가 − 나 + 가

40 ★ 20 = 40 − 20 + 40 = 60

48 ★ 22 = □ − □ + □ = □

71 ★ 45 = □ − □ + □ = □

약속 가 ♥ 나 = 가 − 나 − 나

80 ♥ 30 = □ − 30 − □ = □

47 ♥ 14 = □ − □ − □ = □

95 ♥ 29 = □ − □ − □ = □

약속에 맞게 식을 계산하여 ☐ 안에 알맞은 수를 써넣으시오.

약속 가♠나 = 72 − 가 + 나

50 ♠ 30 = ☐

→ 72 − 50 + 30

31 ♠ 17 = ☐

46 ♠ 22 = ☐

69 ♠ 39 = ☐

약속 가♣나 = 나 − 가 − 가

10 ♣ 60 = ☐

→ 60 − 10 − 10

32 ♣ 77 = ☐

29 ♣ 85 = ☐

33 ♣ 91 = ☐

약속

32 ◉ 30 = 32 + 30 − 11 = 51

48 ◉ 12 = 48 + 12 − 11 = 49

57 ◉ 29 = 57 + 29 − ☐ = ☐

72 ◉ 18 = ☐ + ☐ − ☐ = ☐

약속

20 ◈ 40 = 40 − 20 + 40 = 60

31 ◈ 52 = 52 − 31 + 52 = 73

39 ◈ 45 = ☐ − ☐ + ☐ = ☐

28 ◈ 60 = ☐ − ☐ + ☐ = ☐

성냥개비 셈

🌷 █ 안에서 성냥개비 **1개를 빼야** 할 곳을 찾아 ✕표 하고, 올바른 식을 쓰시오.

🖨 온라인 활동지

○ 보기 ○

$$39 - 18 = 29 \rightarrow 39 - 1\cancel{8} = 29$$

식 ➡ 39 - 10 = 29

$$83 - 29 = 64$$

83 - 29 = □

식 ➡ _____

$$65 - 39 = 28$$

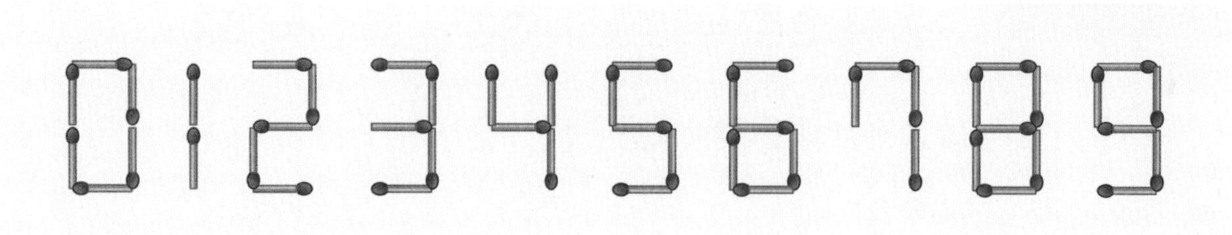

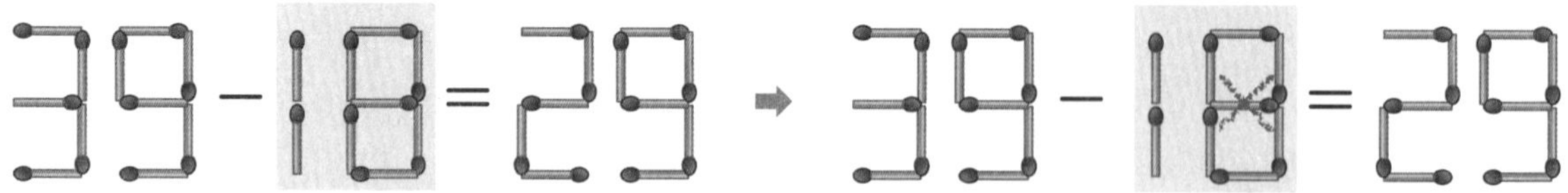

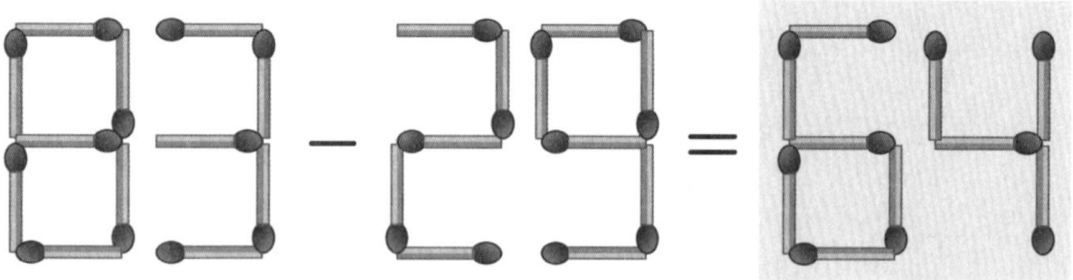

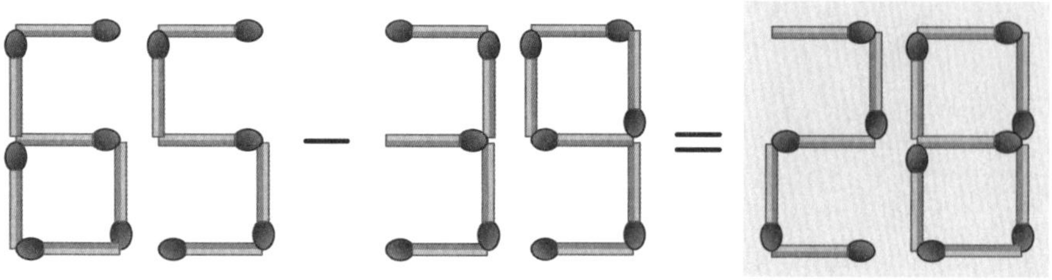

식 ➡ _____

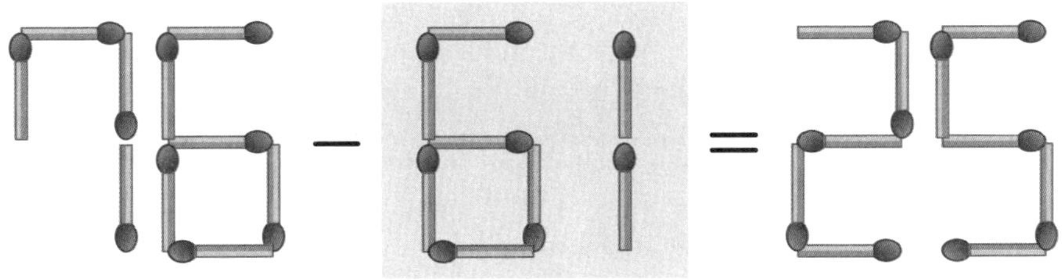

식 ➡

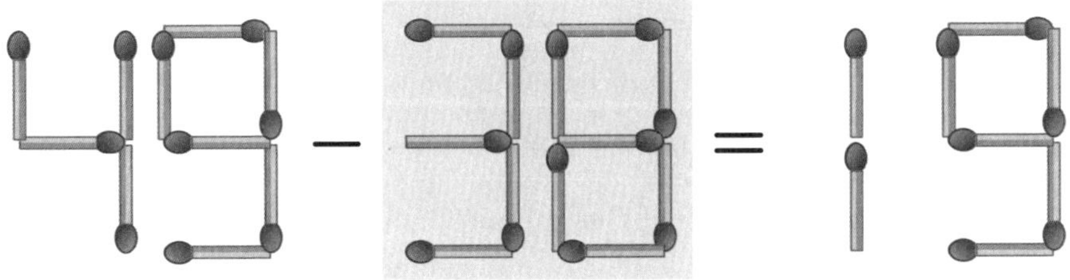

식 ➡

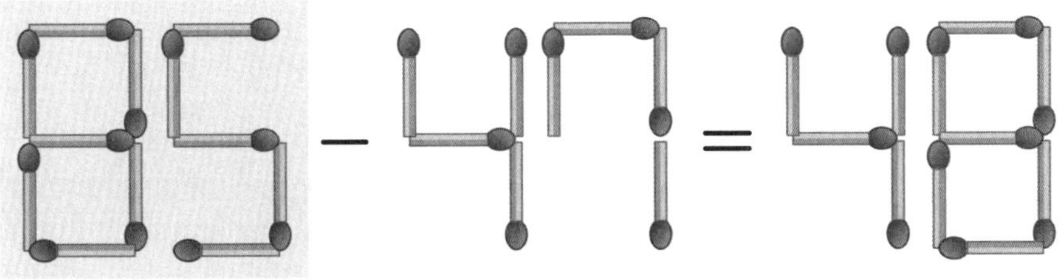

식 ➡

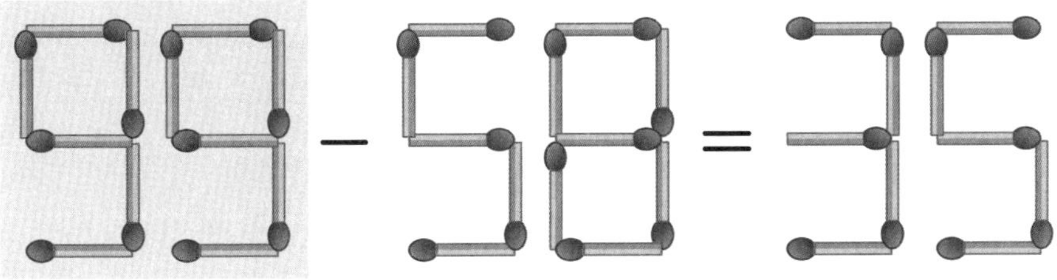

식 ➡

안에서 성냥개비 1**개를 옮겨야** 할 곳을 찾아 표시하고, 올바른 식을 쓰시오.

온라인 활동지

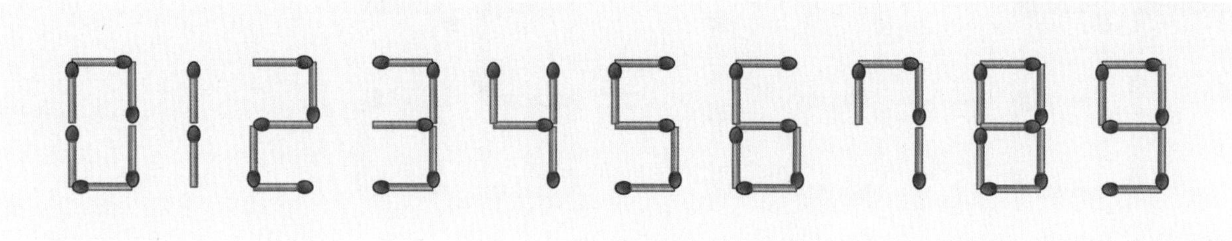

보기

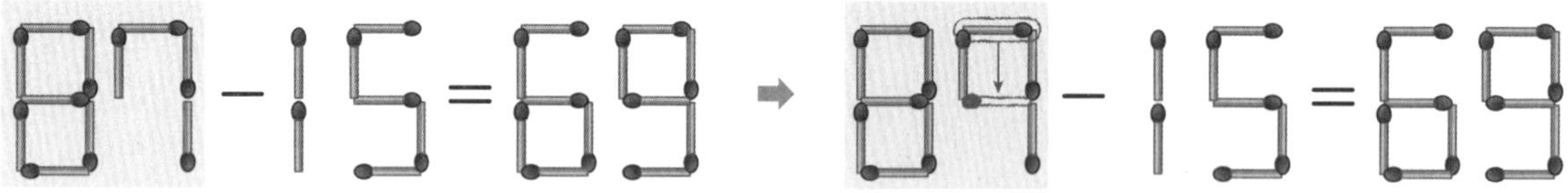

식 ➡ 84 − 15 = 69

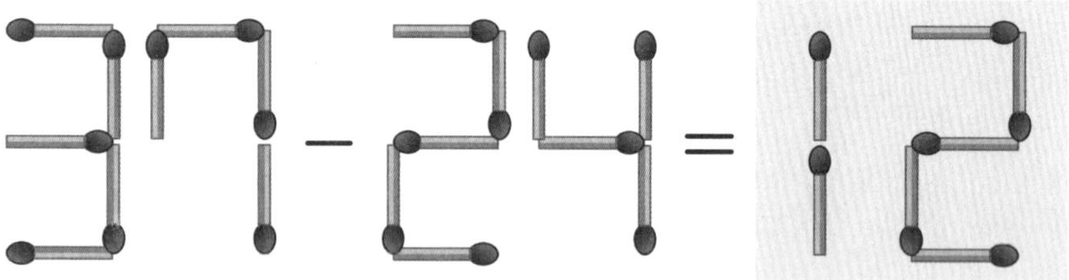

37 − 24 = □

식 ➡ ________________

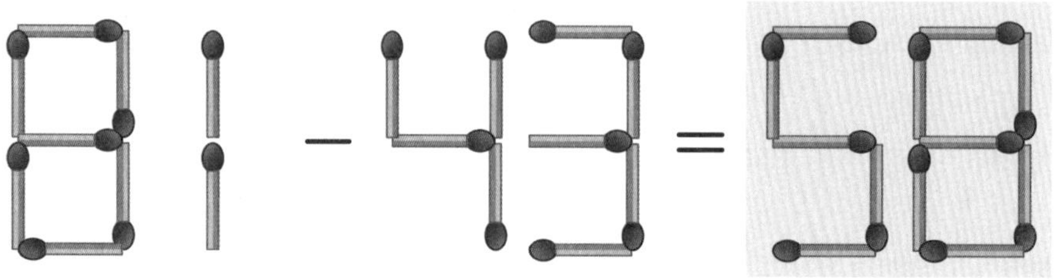

식 ➡ ________________

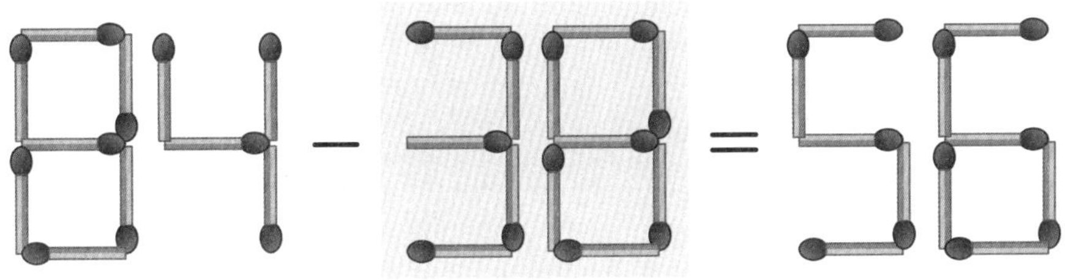

식 ➡ ____________________

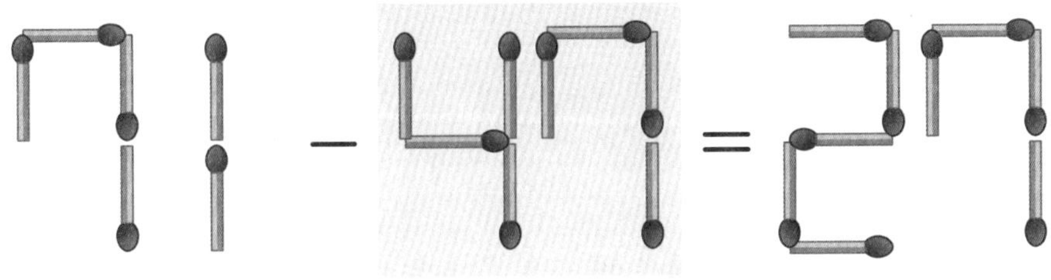

식 ➡ ____________________

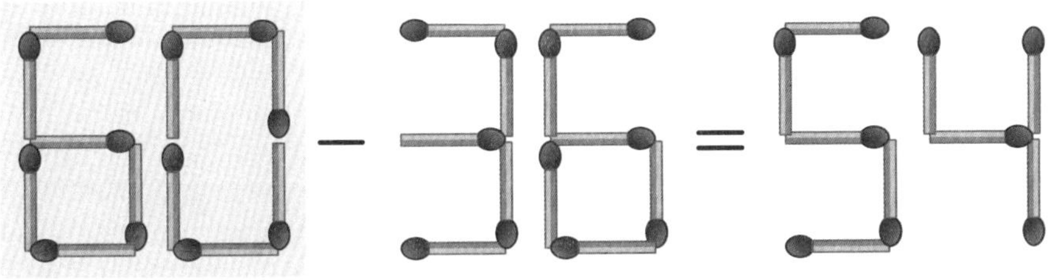

식 ➡ ____________________

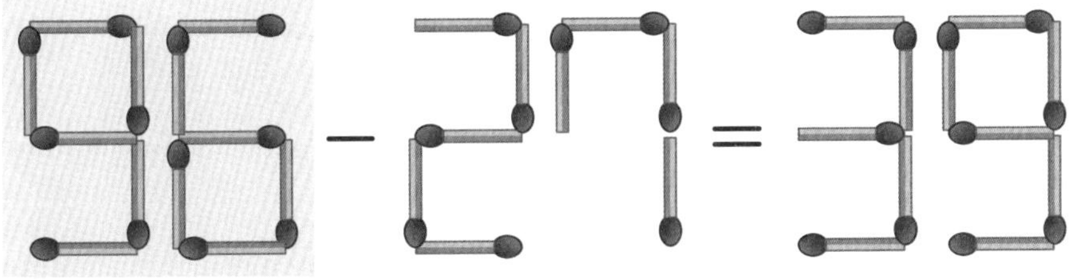

식 ➡ ____________________

오늘은 얼마나 잘했을까요?
칭찬 붙임 딱지를 붙여 주세요!

벌레먹은 셈

🌷 📖 안에 알맞은 숫자를 써넣으시오.

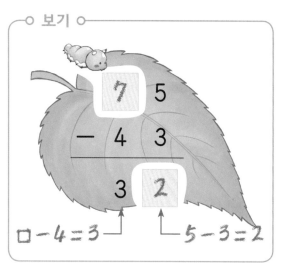

보기

```
  7  5
-  4  3
─────
  3  2
```

□ - 4 = 3   5 - 3 = 2

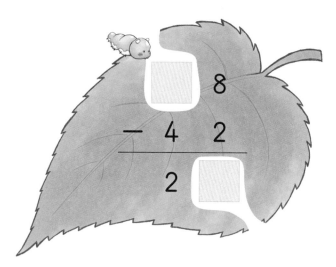

```
     8
-  4  2
─────
  2
```

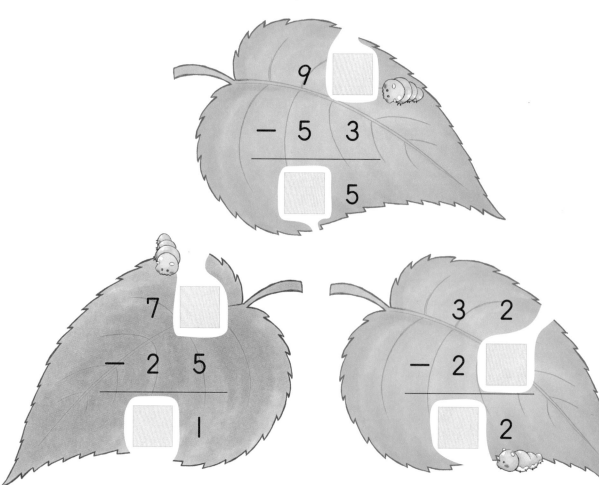

```
  9
-  5  3
─────
     5
```

```
  7
-  2  5
─────
     1
```

```
  3  2
-  2
─────
```

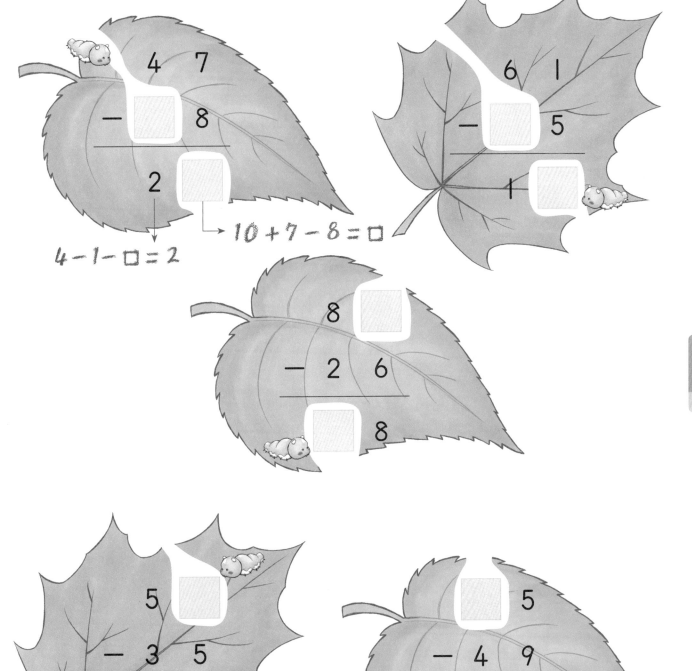

$$
\begin{array}{r}
4\ \ 7 \\
-\ \ \square \\
8 \\
\hline
2\ \ \square
\end{array}
$$

$$4-1-\square=2$$

$$10+7-8=\square$$

$$
\begin{array}{r}
6\ \ 1 \\
-\ \ \square \\
5 \\
\hline
1\ \ \square
\end{array}
$$

$$
\begin{array}{r}
8\ \ \square \\
-\ 2\ \ 6 \\
\hline
\square\ \ 8
\end{array}
$$

$$
\begin{array}{r}
5\ \ \square \\
-\ 3\ \ 5 \\
\hline
\square\ \ 7
\end{array}
$$

$$
\begin{array}{r}
\square\ \ 5 \\
-\ 4\ \ 9 \\
\hline
4\ \ \square
\end{array}
$$

3

😊 🔲 안에 알맞은 숫자를 써넣으시오.

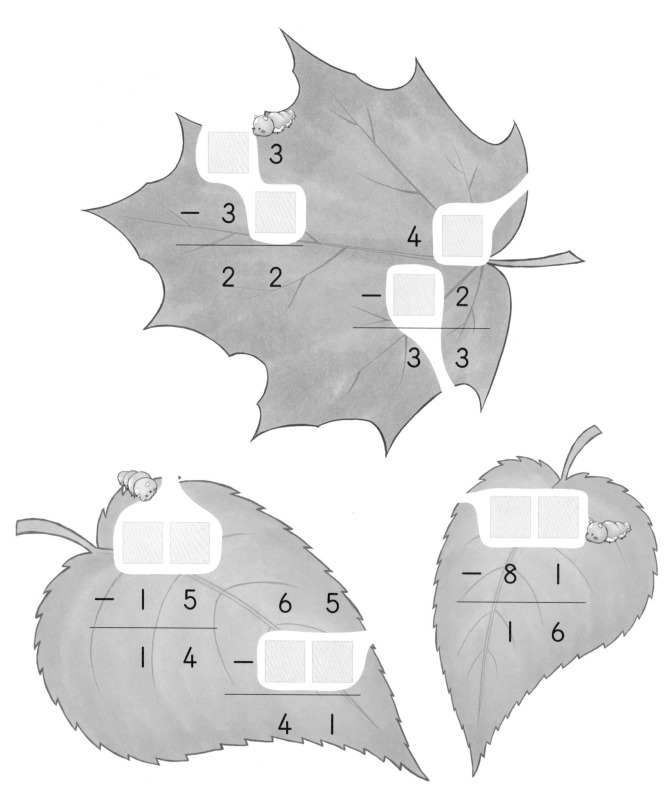

$$\begin{array}{r} \square\,3 \\ -\ 3\ \square \\ \hline 2\quad2 \end{array}$$

$$\begin{array}{r} 4\,\square \\ -\ \square\,2 \\ \hline 3\quad3 \end{array}$$

$$\begin{array}{r} \square\ \square \\ -\ 1\quad5 \\ \hline 1\quad4 \end{array}$$

$$\begin{array}{r} 6\quad5 \\ -\ \square\ \square \\ \hline 4\quad1 \end{array}$$

$$\begin{array}{r} \square\ \square \\ -\ 8\quad1 \\ \hline 1\quad6 \end{array}$$

$$\begin{array}{r} \boxed{}\,2 \\ -\ 3\,\boxed{} \\ \hline 1\ 5 \end{array}$$

$$\begin{array}{r} 4\ \boxed{} \\ -\ \boxed{}\ 8 \\ \hline 2\ 6 \end{array}$$

$$\begin{array}{r} \boxed{}\,7 \\ -\ 5\,\boxed{} \\ \hline 2\ 9 \end{array}$$

3

B03

$$\begin{array}{r} 9\ 1 \\ -\ \boxed{}\ \boxed{} \\ \hline 1\ 2 \end{array}$$

$$\begin{array}{r} \boxed{}\ \boxed{} \\ -\ 1\ 9 \\ \hline 4\ 5 \end{array}$$

5 일차 도형이 나타내는 숫자

도형 안에 들어갈 수 있는 숫자를 모두 찾아 ◯표 하시오.

보기

52－16<3♥ ➡

36 < 3♥

0	1	2	3	4
5	6	(7)	(8)	(9)

67－32<3★ ➡

0	1	2	3	4
5	6	7	8	9

93－11<♣4 ➡

0	1	2	3	4
5	6	7	8	9

89－41<▲7 ➡

0	1	2	3	4
5	6	7	8	9

9♥−43<51 ➡

0	1	2	3	4
5	6	7	8	9

46−1♣<31 ➡

0	1	2	3	4
5	6	7	8	9

★7−19<36 ➡

0	1	2	3	4
5	6	7	8	9

71−▲4<19 ➡

0	1	2	3	4
5	6	7	8	9

⚘ 도형이 나타내는 숫자를 구하고 뺄셈식을 완성하시오.(단, 같은 모양은 같은 숫자를 나타냅니다.)

○ 보기 ○

$$
\begin{array}{r}
♥\ 1 \\
-\ 2\ ♥ \\
\hline
3\ 5
\end{array}
\qquad\longrightarrow\qquad
♥ = \boxed{6}
\qquad
\begin{array}{r}
6\ 1 \\
-\ 2\ 6 \\
\hline
3\ 5
\end{array}
$$

$$
\begin{array}{r}
★\ 9 \\
-\ 3\ ★ \\
\hline
5\ 1
\end{array}
\qquad\longrightarrow\qquad
★ = \boxed{}
$$

$$
\begin{array}{r}
7\ ◆ \\
-\ ◆\ 9 \\
\hline
2\ 5
\end{array}
\qquad\longrightarrow\qquad
◆ = \boxed{}
$$

$$
\begin{array}{r}
4\ ▲ \\
-\ ▲\ 8 \\
\hline
2\ 3
\end{array}
\qquad\longrightarrow\qquad
$$

$$\begin{array}{rcc} & ● & ● \\ - & 4 & ● \\ \hline & 1 & 0 \end{array}$$

→ ● = ☐

$$\begin{array}{rcc} & 9 & ♠ \\ - & ♠ & ♠ \\ \hline & 7 & 0 \end{array}$$

→ ♠ = ☐

$$\begin{array}{rcc} & 8 & 7 \\ - & ★ & ▼ \\ \hline & 6 & ★ \end{array}$$

→ ★ = ☐

▼ = ☐

$$\begin{array}{rcc} & 7 & ▲ \\ - & ◆ & 9 \\ \hline & ◆ & 6 \end{array}$$

→ ◆ = ☐

▲ = ☐

오늘은 얼마나 잘했을까요?
칭찬 붙임 딱지를 붙여 주세요!

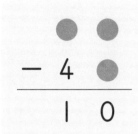

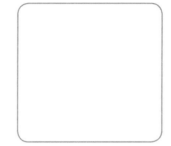

B03 (두 자리 수)-(두 자리 수)

학습관리표

일 자			소요 시간	틀린 문항 수	확인
1 일차	월	일	:		
2 일차	월	일	:		
3 일차	월	일	:		
4 일차	월	일	:		
5 일차	월	일	:		

4 주

뺄셈식 완성하기

주어진 숫자 카드를 모두 사용하여 뺄셈식을 완성하시오.

온라인 활동지

숫자 카드: 9, 3, 5

$$\begin{array}{r} \boxed{9}\ 6 \\ -\ \boxed{}\ 1 \\ \hline 6\ \boxed{} \end{array}$$

← 6−1

숫자 카드: 6, 2, 7

$$\begin{array}{r} \boxed{}\ 9 \\ -\ \boxed{}\ 2 \\ \hline 4\ \boxed{} \end{array}$$

숫자 카드: 8, 5, 1

$$\begin{array}{r} \boxed{}\ \boxed{} \\ -\ 1\ \boxed{} \\ \hline 6\ 6 \end{array}$$

3 4
9 8

$$\begin{array}{r} \square\,\square \\ -\ \square\ 6 \\ \hline 5\ \square \end{array}$$

6 0
7 4

$$\begin{array}{r} \square\,\square \\ -\ \square\ 3 \\ \hline 1\ \square \end{array}$$

8 7
9 3

$$\begin{array}{r} \square\ 1 \\ -\ \square\,\square \\ \hline 1\ \square \end{array}$$

올바른 식이 되도록 ▢ 카드와 바꾸어야 하는 카드 1장을 찾아 색칠하시오.

온라인 활동지

보기

4 3 − 1 0 = 5 5 ➡ 45 − 10 = 35

5 2 − 3 2 = 8 6 ➡ ______

8 4 − 2 6 = 1 3 ➡ ______

6 5 − 4 7 = 1 2 ➡ ______

7 1 − 8 3 = 2 4 ➡ ______

1 5 − 7 9 = 9 6 ➡ ______________________

7 0 − 2 8 = 5 1 ➡ ______________________

4 2 − 1 9 = 6 7 ➡ ______________________

6 5 − 6 3 = 2 9 ➡ ______________________

7 8 − 3 9 = 4 8 ➡ ______________________

오늘은 얼마나 잘했을까요?
칭찬 붙임 딱지를 붙여 주세요!

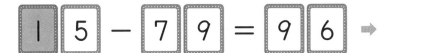

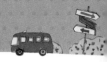

계산 순서를 찾아 ⬭ 안에 알맞은 수를 써넣으시오.

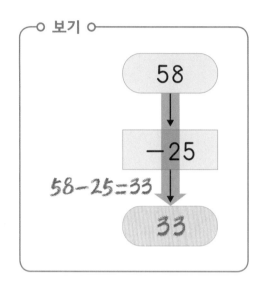

보기
58
−25
58−25=33
33

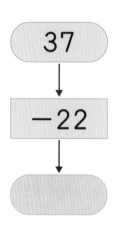

37
−22

65
−18

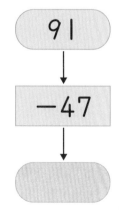

91
−47

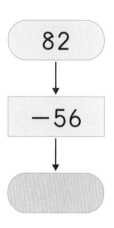

82

계산 순서를 찾아 ( ) 안에 알맞은 수를 써넣으시오.

보기

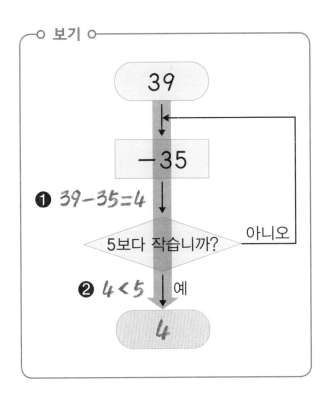

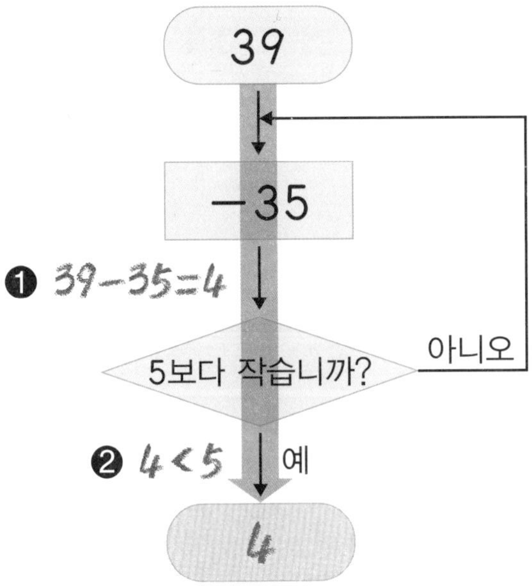
39
−35
❶ 39−35=4
5보다 작습니까?
아니오
❷ 4<5
예
4

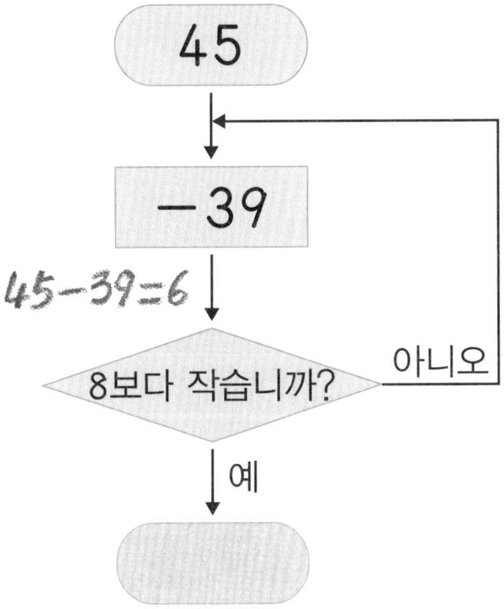
45
−39
45−39=6
8보다 작습니까?
아니오
예

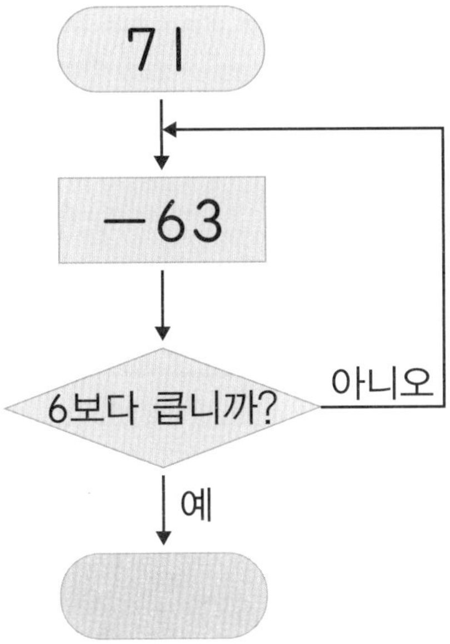
71
−63
6보다 큽니까?
아니오
예

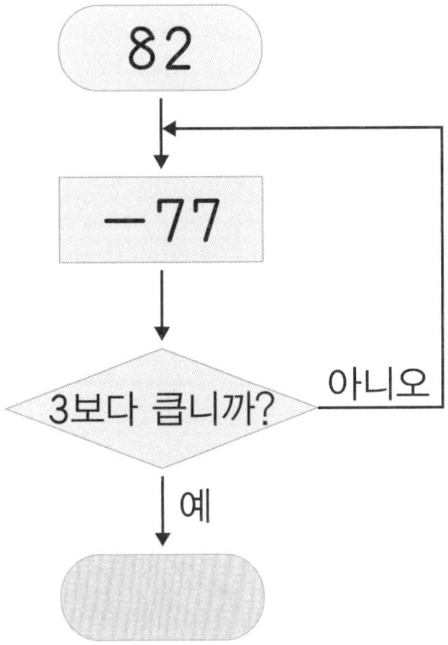
82
−77
3보다 큽니까?
아니오
예

✿ 계산 순서를 찾아 ▭ 안에 알맞은 수를 써넣으시오.

보기

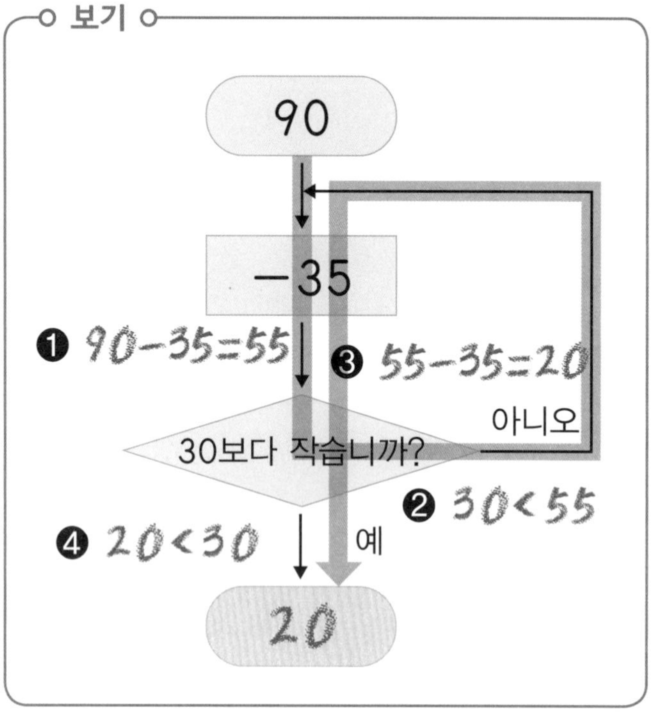

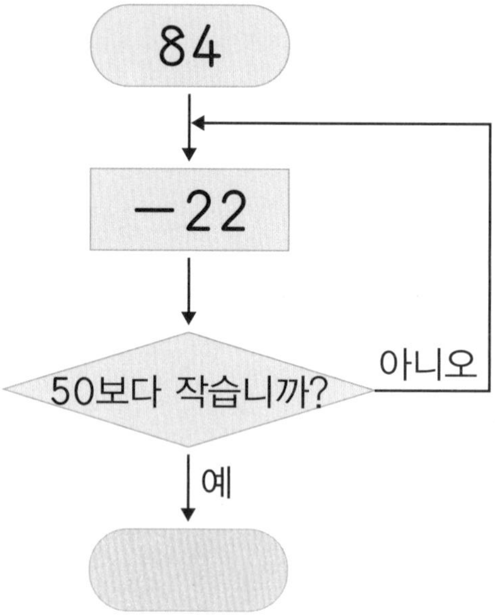

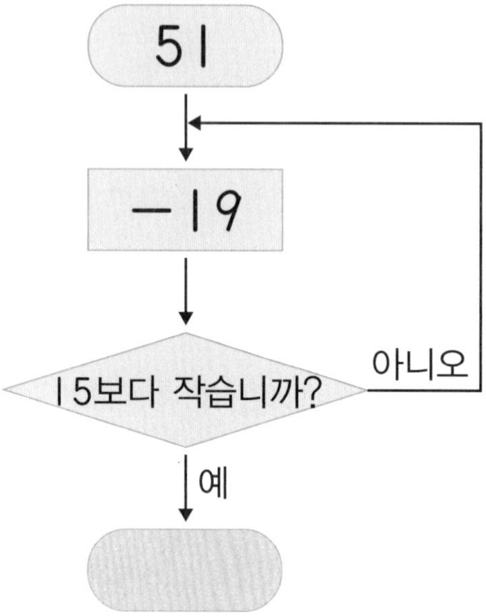

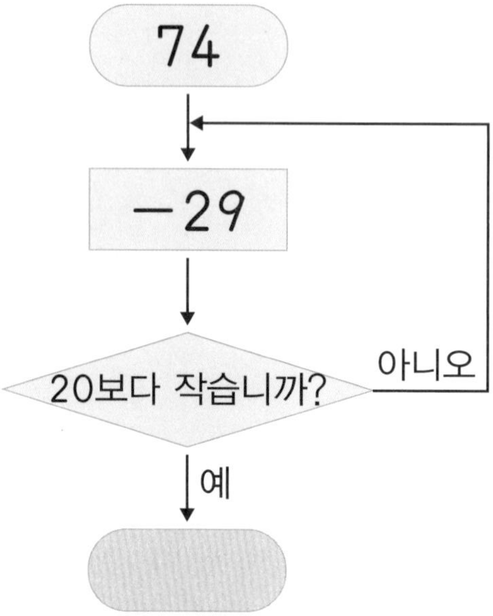

계산 순서를 찾아 ( ) 안에 알맞은 수를 써넣으시오.

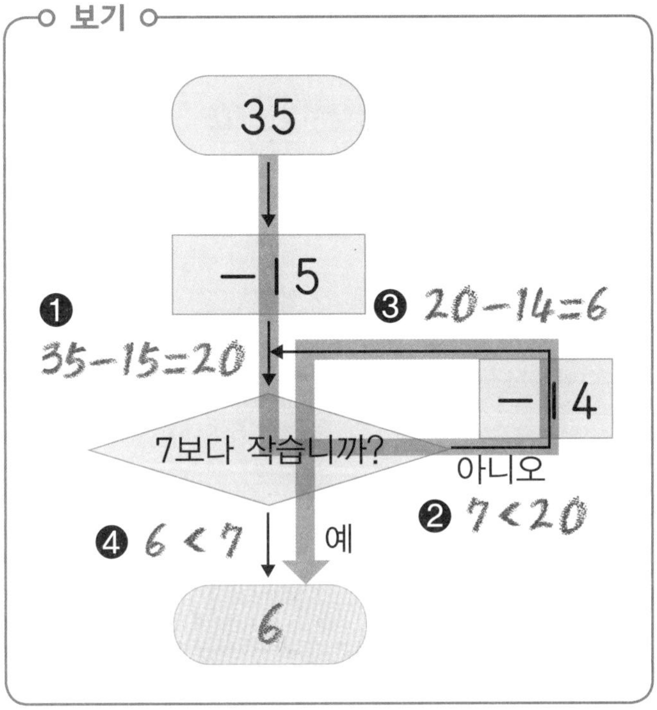
보기
35
−15
❶ 35−15=20
❸ 20−14=6
−14
7보다 작습니까?
아니오
❷ 7<20
❹ 6<7
예
6

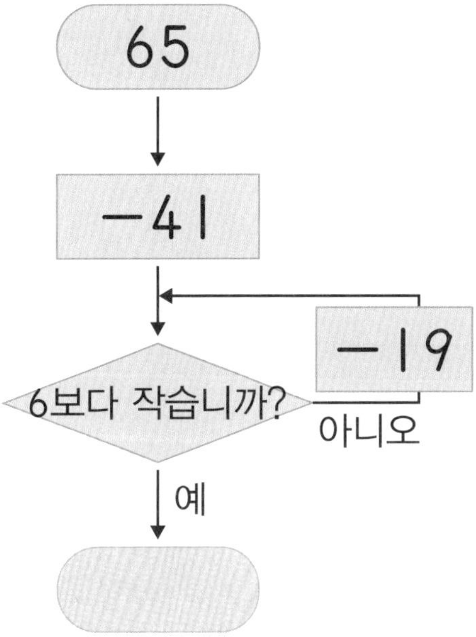
65
−41
−19
6보다 작습니까?
아니오
예

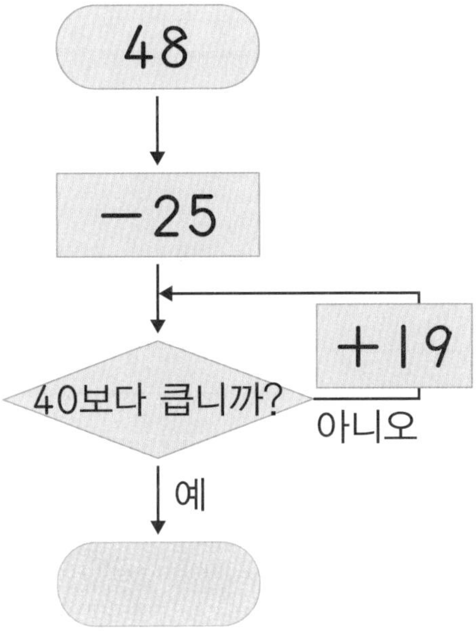
48
−25
+19
40보다 큽니까?
아니오
예

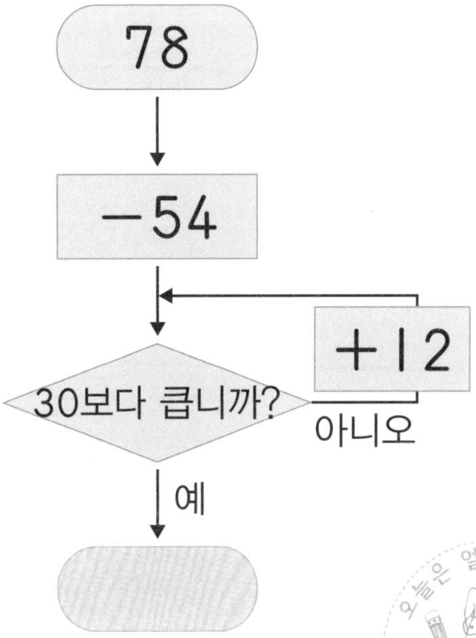
78
−54
+12
30보다 큽니까?
아니오
예

목표수 만들기

🌷 주어진 숫자 카드를 모두 사용하여 목표수를 만들어 보시오.

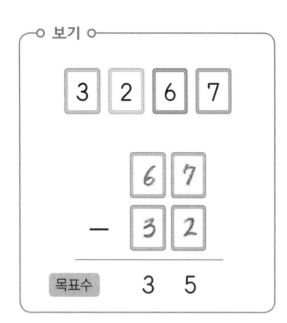

─○ 보기 ○─

| | 3 | 2 | 6 | 7 |

```
    6  7
 -  3  2
─────────
```
목표수 3 5

| 8 | 5 | 4 | 0 |

```
    8  □
 -  □  4
─────────
```
목표수 2 6

| 7 | 8 | 3 | 5 |

```
    □  □
 -  □  □
─────────
```
목표수 1 5

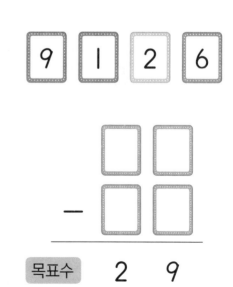

| 9 | 1 | 2 | 6 |

```
    □  □
 -  □  □
─────────
```
목표수 2 9

주어진 계산기의 버튼을 알맞은 순서로 눌러 계산 결과가 나오도록 하시오.

보기

누르는 순서

45 – 10 =

누르는 순서

누르는 순서

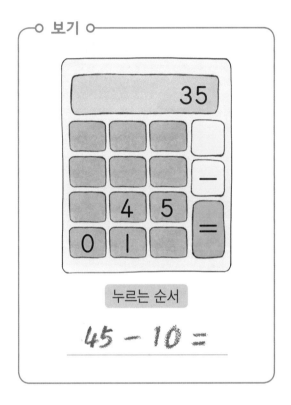

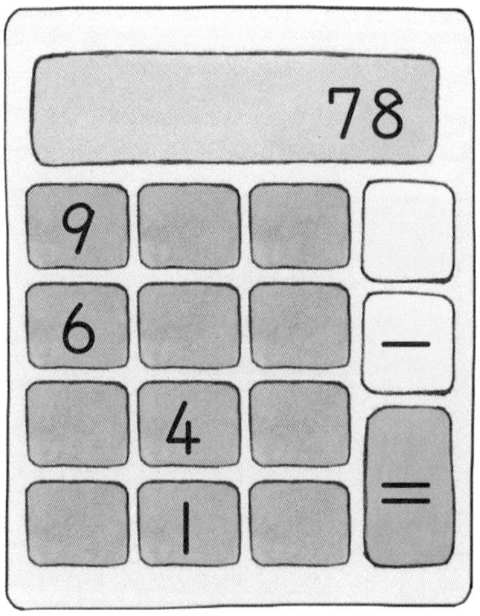

누르는 순서

두 수를 찾아 목표수를 만들어 보시오.

보기

54	36	52
21	39	40

목표수

54 − 40 = 14

13	42	26
32	12	20

목표수

□ − 20 = 12

33	67	43
57	12	45

목표수

□ − □ = 22

85	48	57
75	25	65

목표수

□ − □ = 20

61	52	39
29	35	10

목표수

□ − □ = 23

15	25	30
45	50	65
75	80	90

목표수

90 − ☐ = 40

65 − ☐ = 40

42	60	65
36	38	20
10	15	57

목표수

60 − ☐ = 22

☐ − ☐ = 22

45	60	62
51	47	25
78	57	29

목표수

☐ − ☐ = 15

☐ − ☐ = 15

82	70	64
91	38	75
85	76	11

목표수

☐ − ☐ = 27

☐ − ☐ = 27

오늘은 얼마나 잘했을까요?
칭찬 붙임 딱지를 붙여 주세요!

가장 큰 값, 가장 작은 값

숫자 카드를 한 번씩 사용하여 계산 결과가 **가장 큰 값**이 되도록 만들어 보시오.

온라인 활동지

보기

숫자 카드: 2, 5, 9, 8

가장 큰 값

  9 8 → 가장 큰 두 자리 수
− 2 5 → 가장 작은 두 자리 수
―――
  7 3

숫자 카드: 2, 3, 6, 7

가장 큰 값

  7 6
− □ □
―――

숫자 카드: 1, 4, 6, 8

가장 큰 값

  □ □
− 1 4
―――

숫자 카드: 4, 5, 8, 9

가장 큰 값

  □ □
− □ □
―――

가장 큰 값

2	5
7	8

$$\begin{array}{cccc} & \square & \square \\ - & \square & \square \\ \hline \end{array}$$

가장 큰 값

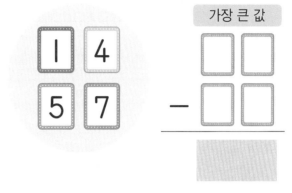

1	4
5	7

$$\begin{array}{cccc} & \square & \square \\ - & \square & \square \\ \hline \end{array}$$

가장 큰 값

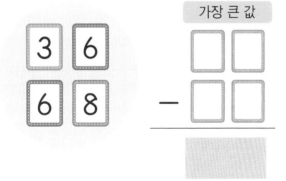

3	6
6	8

$$\begin{array}{cccc} & \square & \square \\ - & \square & \square \\ \hline \end{array}$$

가장 큰 값

2	2
5	7

$$\begin{array}{cccc} & \square & \square \\ - & \square & \square \\ \hline \end{array}$$

가장 큰 값

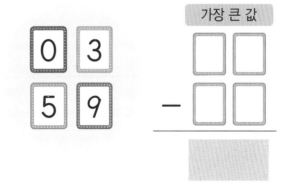

0	3
5	9

$$\begin{array}{cccc} & \square & \square \\ - & \square & \square \\ \hline \end{array}$$

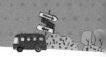

숫자 카드를 한 번씩 사용하여 계산 결과가 **가장 작은 값**이 되도록 만들어 보시오.

온라인 활동지

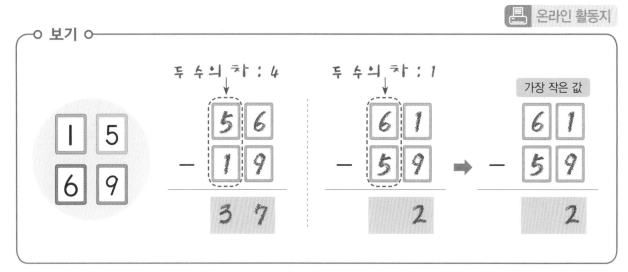

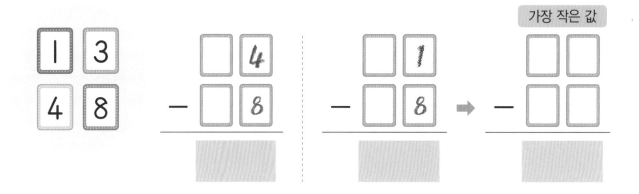

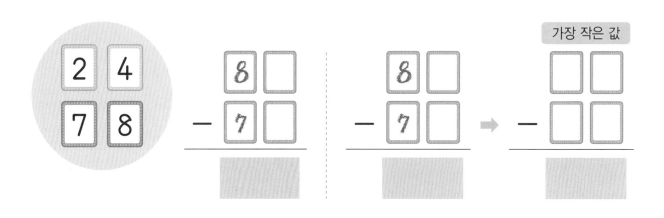

3 4
6 8

가장 작은 값

$$\begin{array}{r} \square\square \\ - \square\square \\ \hline \end{array}$$

1 4
6 7

가장 작은 값

$$\begin{array}{r} \square\square \\ - \square\square \\ \hline \end{array}$$

2 5
6 9

가장 작은 값

$$\begin{array}{r} \square\square \\ - \square\square \\ \hline \end{array}$$

2 5
5 7

가장 작은 값

$$\begin{array}{r} \square\square \\ - \square\square \\ \hline \end{array}$$

0 3
4 6

가장 작은 값

$$\begin{array}{r} \square\square \\ - \square\square \\ \hline \end{array}$$

오늘 얼마나 잘했을까요?
칭찬 붙임 딱지를 붙여 주세요!

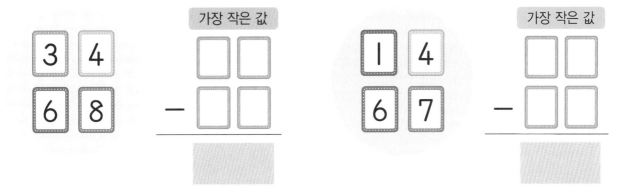

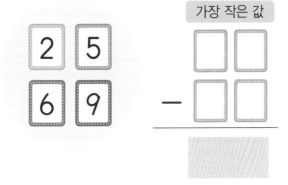

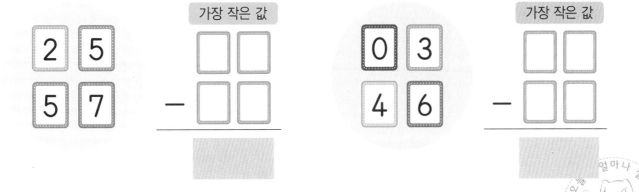

도미노 뺄셈

규칙에 맞게 도미노의 눈을 그려 넣으시오.

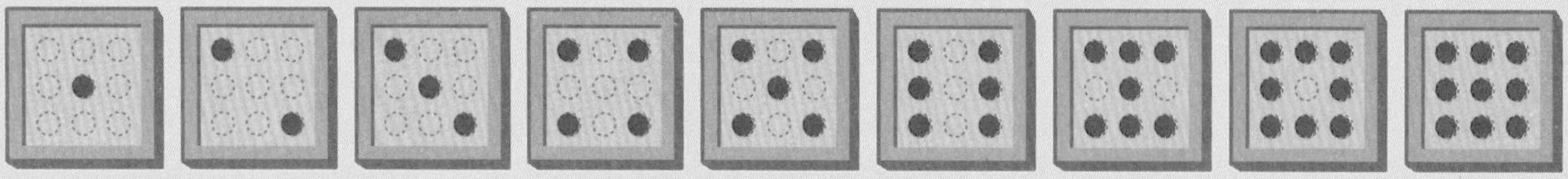

1 2 3 4 5 6 7 8 9

보기

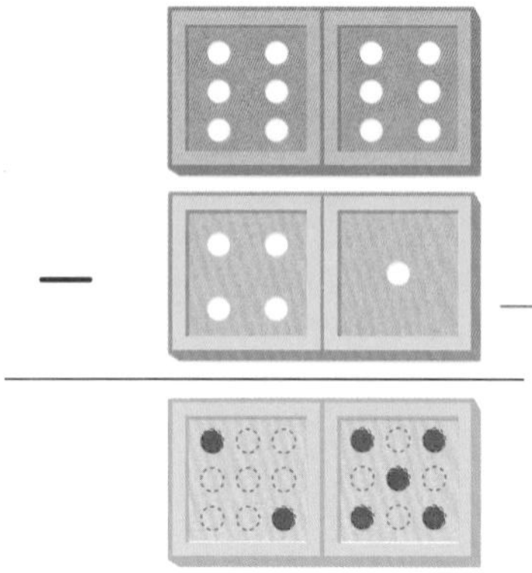

$$\begin{array}{r} 66 \\ -\ 41 \\ \hline 25 \end{array}$$

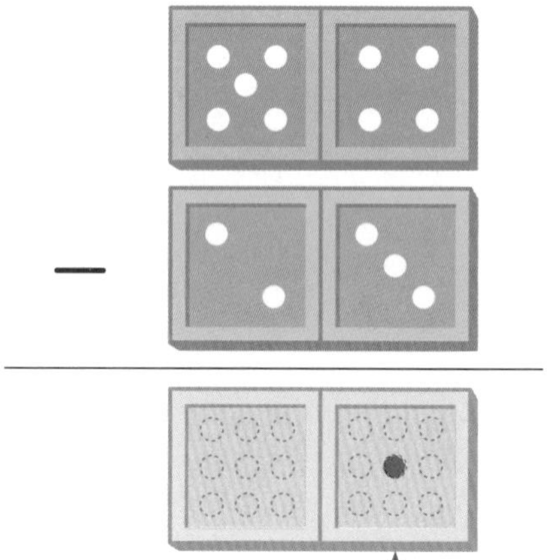

4−3=1

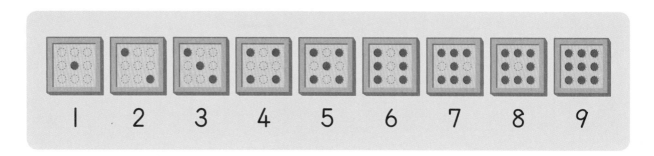

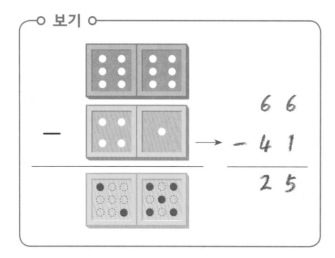

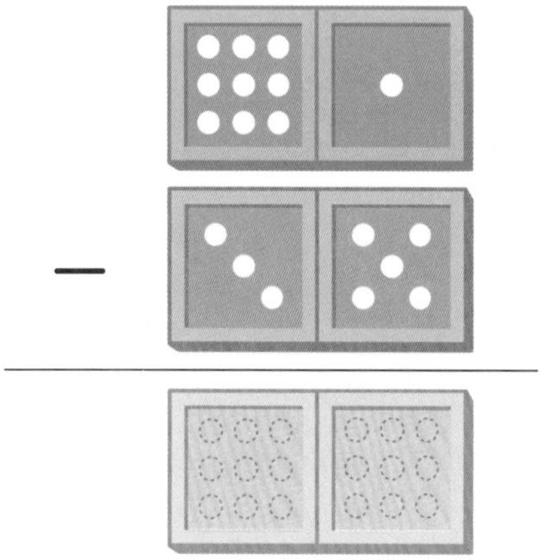

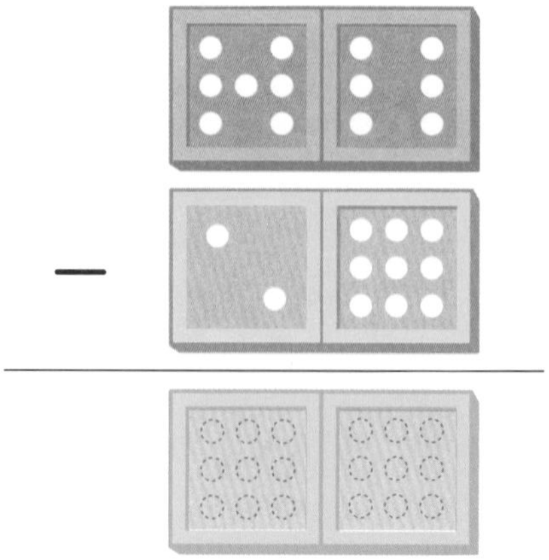

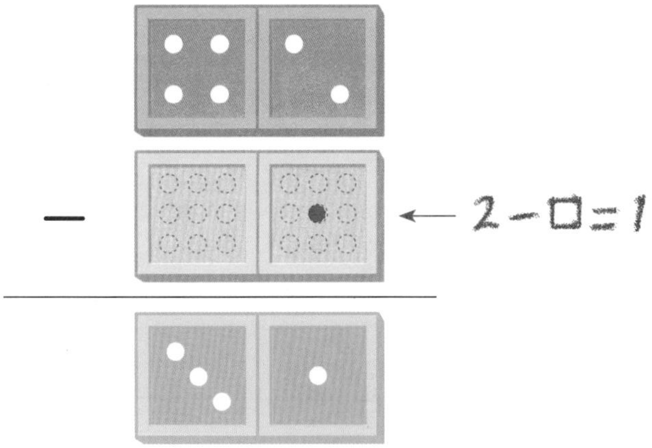
2−□=1

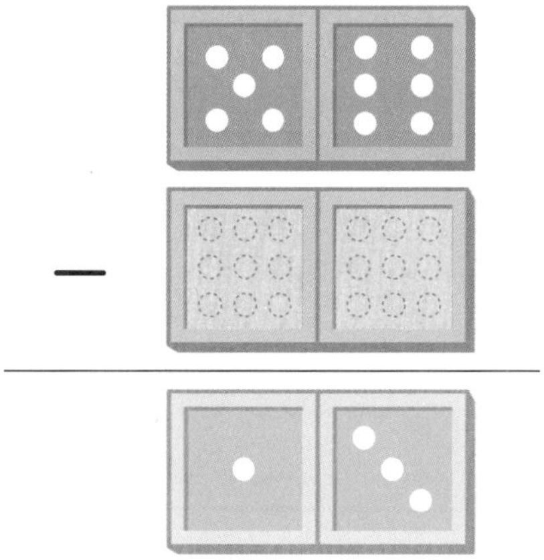

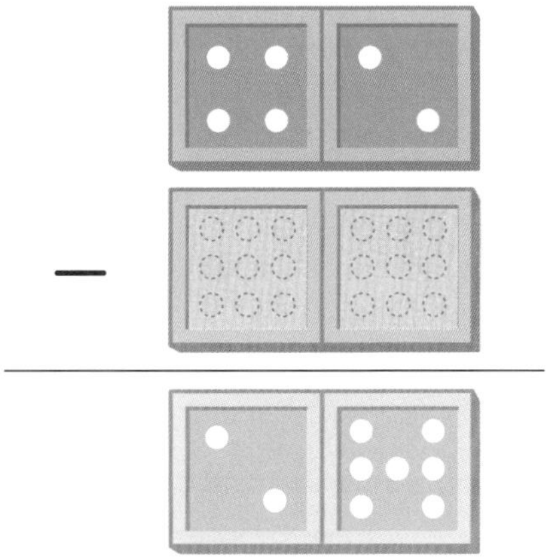

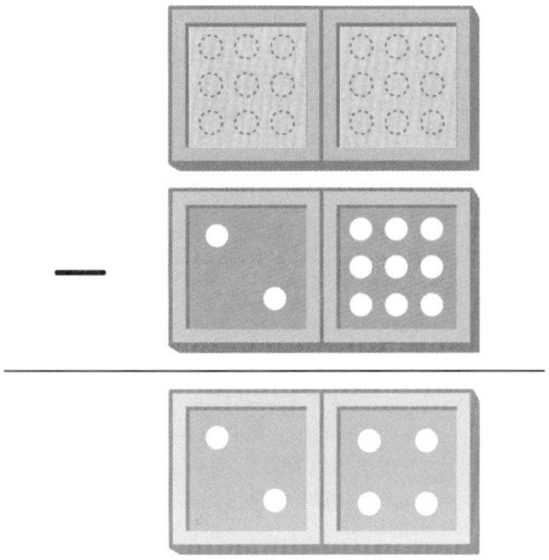

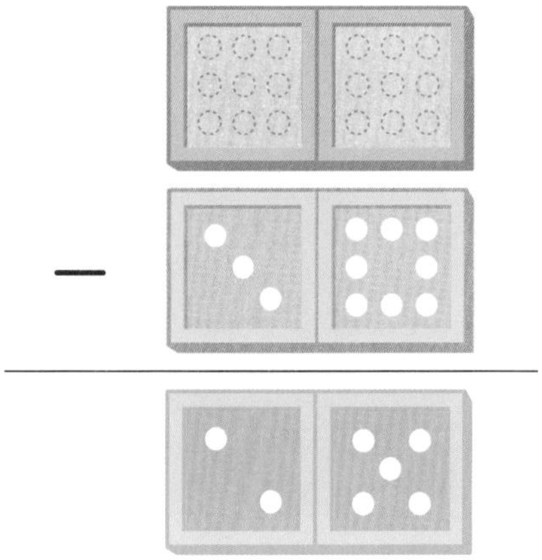

도미노를 알맞게 배치하여 뺄셈식을 완성하시오.

온라인 활동지

보기

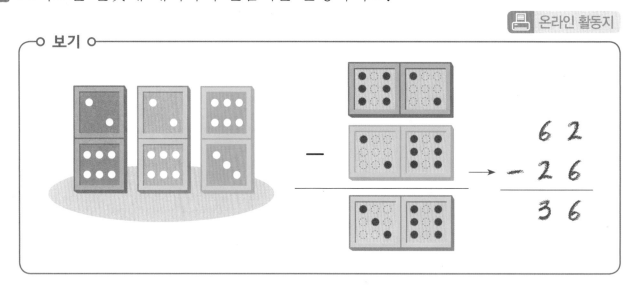

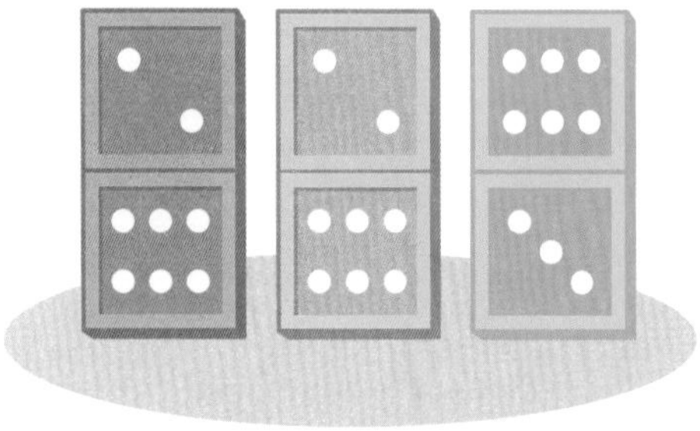

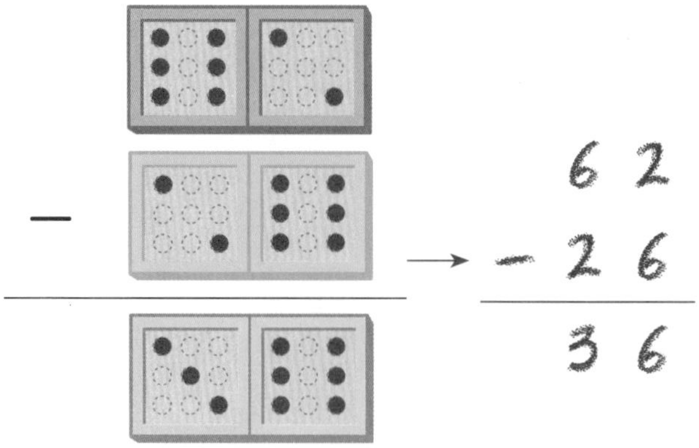

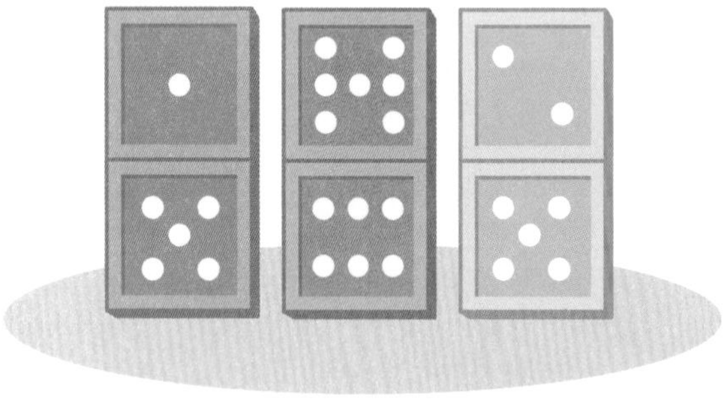

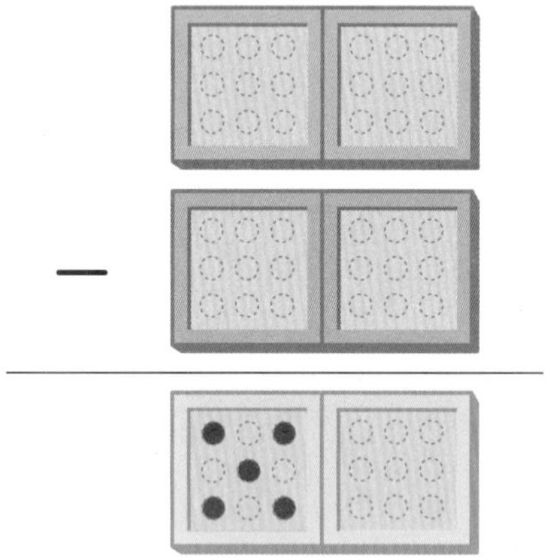

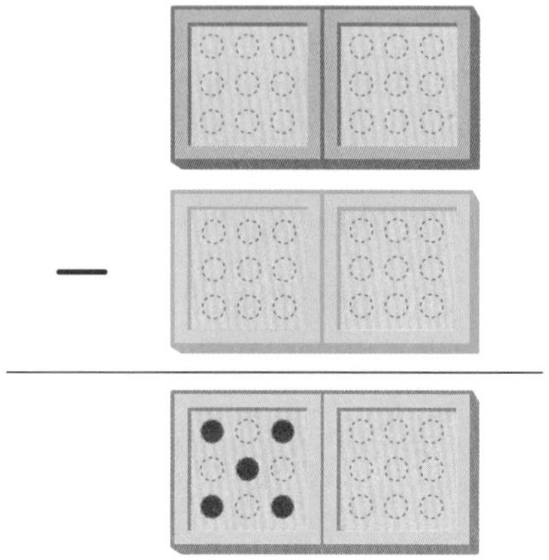

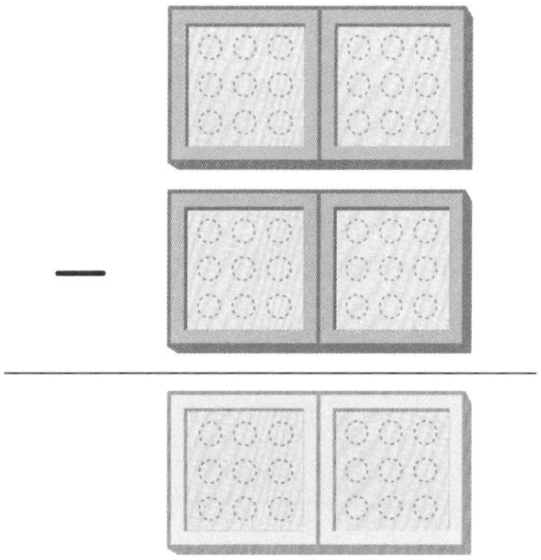

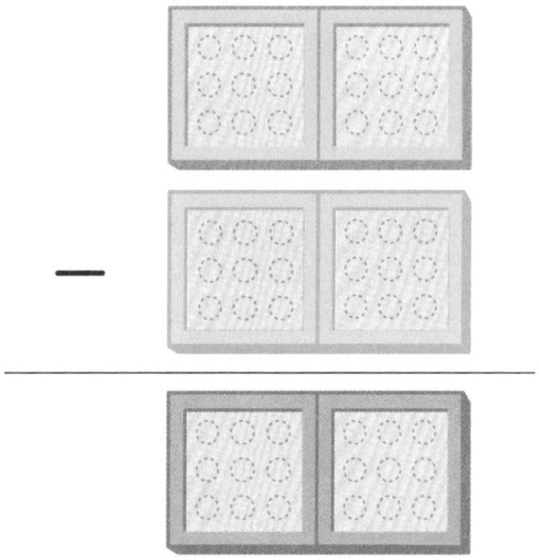

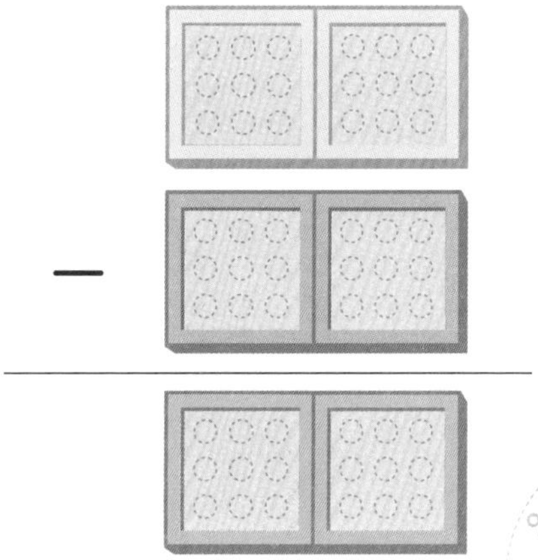

오늘은 얼마나 잘했을까요?
칭찬 붙임 딱지를
붙여 주세요!

memo

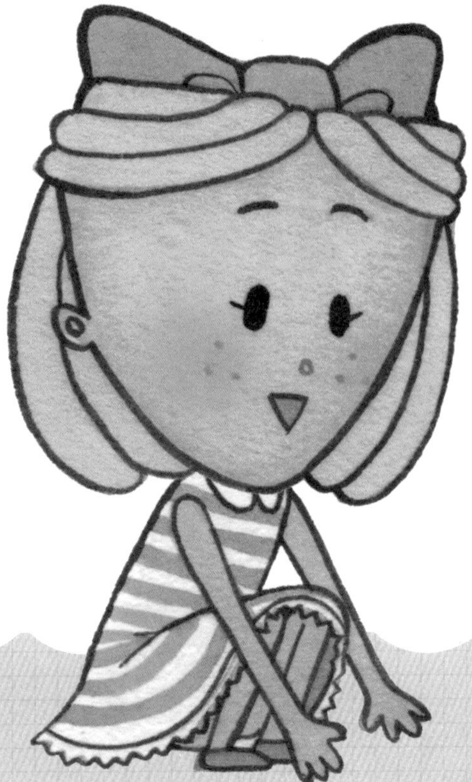

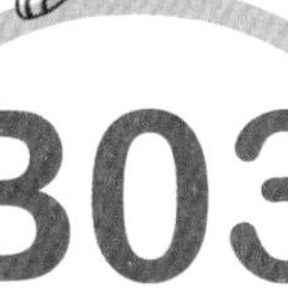

B03 정답

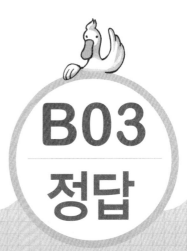

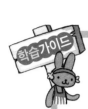

1주 1일차 받아내림이 없는 뺄셈

학습가이드

받아내림이 없는 두 자리 수의 뺄셈을 학습하는 과정입니다.
동전 모형을 통하여 각 자리의 숫자끼리 빼는 계산 원리를 이해하고, 이를 형식화할 때에는 십의 자리에서부터 일의 자리 순서로 계산할 수 있도록 지도해 주세요.
받아내림이 없는 두 자리 수의 뺄셈이므로 자릿수만 잘 맞추어 계산하면 쉽게 해결할 수 있습니다.

30 − 10 = 20
5 − 2 = 3
35 − 12 = 23

➡ 35 − 12 = 23 (3 − 1, 5 − 2)

P 08 ~ 09

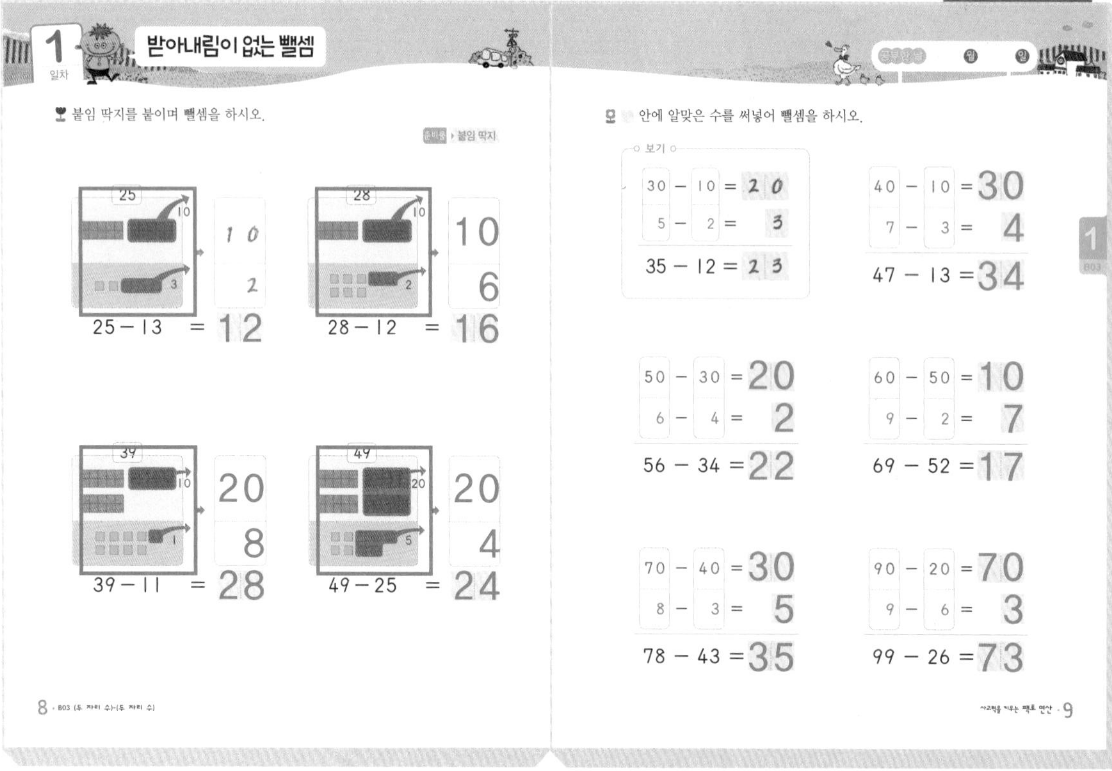
1일차 받아내림이 없는 뺄셈

붙임 딱지를 붙이며 뺄셈을 하시오.

25 − 13 = 12 (10, 2)
28 − 12 = 16 (10, 6)
39 − 11 = 28 (20, 8)
49 − 25 = 24 (20, 4)

안에 알맞은 수를 써넣어 뺄셈을 하시오.

보기: 30 − 10 = 20, 5 − 2 = 3, 35 − 12 = 23

40 − 10 = 30, 7 − 3 = 4, 47 − 13 = 34
50 − 30 = 20, 6 − 4 = 2, 56 − 34 = 22
60 − 50 = 10, 9 − 2 = 7, 69 − 52 = 17
70 − 40 = 30, 8 − 3 = 5, 78 − 43 = 35
90 − 20 = 70, 9 − 6 = 3, 99 − 26 = 73

8 · B03 (두 자리 수)-(두 자리 수)
사고력을 키우는 팩토 연산 · 9

P 10 ~ 11

1 일차

'십의 자리 → 일의 자리' 순서로 계산하시오.

47 − 32 = 1 (4−3) → 47 − 32 = 15 (7−2)

35 − 14 = 21 (3−1, 5−4)

56 − 23 = 33 (5−2, 6−3)

27 − 12 = 15

64 − 20 = 44

49 − 14 = 35

78 − 33 = 45

68 − 41 = 27

87 − 23 = 64

공부한 날 월 일

79 − 43 = 36

54 − 31 = 23

67 − 52 = 15

46 − 26 = 20

58 − 13 = 45

89 − 35 = 54

76 − 64 = 12

94 − 43 = 51

56 − 30 = 26

65 − 11 = 54

99 − 22 = 77

78 − 46 = 32

P 12 ~ 13

1 일차

뺄셈을 하시오.

25 − 11 = 14

34 − 23 = 11

37 − 10 = 27

48 − 17 = 31

49 − 23 = 26

55 − 22 = 33

76 − 13 = 63

68 − 30 = 38

67 − 25 = 42

73 − 21 = 52

56 − 36 = 20

88 − 12 = 76

공부한 날 월 일

47 − 33 = 14

75 − 20 = 55

89 − 52 = 37

55 − 15 = 40

38 − 12 = 26

86 − 44 = 42

79 − 33 = 46

98 − 23 = 75

88 − 17 = 71

35 − 12 = 23

96 − 42 = 54

75 − 31 = 44

학습가이드

받아내림이 있는 (몇십)−(몇십 몇)의 계산을 학습하는 과정입니다.
B02권에서 학습한 두 자리 수의 덧셈에서 머리셈을 이용한 것처럼 여기서도 머리셈을 이용하여 십의 자리부터 계산하는 두 자리 수의 뺄셈을 익힙니다.
머리셈이 빨라지면 일의 자리부터 계산하는 방법보다 훨씬 빠르고 정확한 수셈 능력으로 발전할 수 있으므로 다음과 같은 순서로 지도해 주세요.

70 − 29 ➡ 70 − 29 = 4 (7 − 2 − 1) ➡ 70 − 29 = 41 (10 − 9)

앞 수의 일의 자리 숫자가 작은 경우

십의 자리 숫자끼리 뺄셈을 한 후, 1을 빼서 씁니다.

10에서 일의 자리 숫자를 빼서 씁니다.

P 14 ~ 15

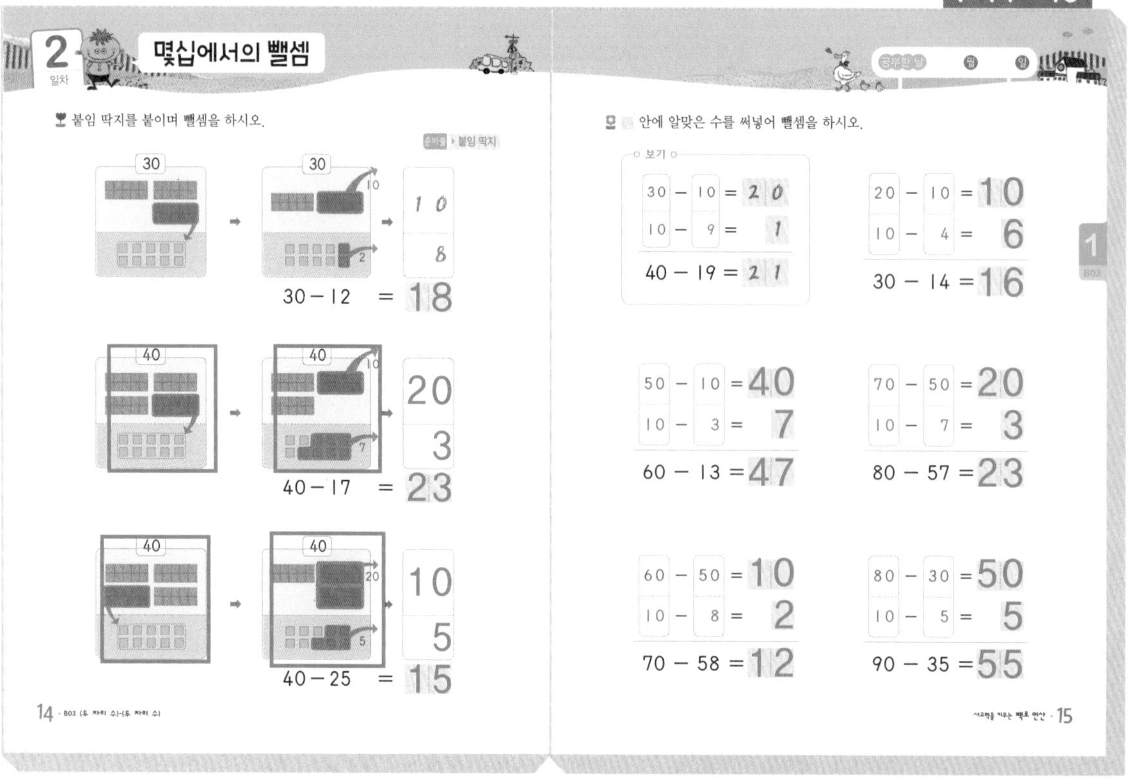
2 일차 몇십에서의 뺄셈

붙임 딱지를 붙이며 뺄셈을 하시오.

30 − 12 = 18 (10, 8)

40 − 17 = 23 (20, 3)

40 − 25 = 15 (10, 5)

14 · B03 (두 자리 수)-(두 자리 수)

안에 알맞은 수를 써넣어 뺄셈을 하시오.

보기: 30 − 10 = 20, 10 − 9 = 1, 40 − 19 = 21

20 − 10 = 10, 10 − 4 = 6, 30 − 14 = 16

50 − 10 = 40, 10 − 3 = 7, 60 − 13 = 47

70 − 50 = 20, 10 − 7 = 3, 80 − 57 = 23

60 − 50 = 10, 10 − 8 = 2, 70 − 58 = 12

80 − 30 = 50, 10 − 5 = 5, 90 − 35 = 55

사고력을 키우는 빠른 연산 · 15

P 16 ~ 17

2 일차

'십의 자리 → 일의 자리' 순서로 계산하시오.

70 − 29 → 70 − 29 = 41 (7−2−1, 10−9)

앞 수의 일의 자리 숫자가 0인 경우

30 − 16 = 14 (3−1−1, 10−6)

50 − 24 = 26 (5−2−1, 10−4)

40 − 12 = 28

60 − 37 = 23

50 − 28 = 22

70 − 35 = 35

60 − 11 = 49

80 − 23 = 57

16 · B03 (두 자리 수)−(두 자리 수)

70 − 16 = 54

50 − 21 = 29

40 − 22 = 18

60 − 39 = 21

80 − 16 = 64

90 − 55 = 35

50 − 37 = 13

60 − 48 = 12

90 − 15 = 75

40 − 14 = 26

80 − 38 = 42

90 − 43 = 47

사고력을 키우는 팩토 연산 · 17

P 18 ~ 19

2 일차

뺄셈을 하시오.

30 − 18 = 12

40 − 26 = 14

40 − 14 = 26

50 − 33 = 17

60 − 25 = 35

70 − 58 = 12

50 − 22 = 28

40 − 21 = 19

60 − 27 = 33

50 − 13 = 37

70 − 19 = 51

80 − 67 = 13

18 · B03 (두 자리 수)−(두 자리 수)

50 − 19 = 31

60 − 22 = 38

70 − 45 = 25

90 − 18 = 72

80 − 64 = 16

70 − 41 = 29

40 − 13 = 27

60 − 36 = 24

80 − 57 = 23

50 − 28 = 22

90 − 35 = 55

80 − 43 = 37

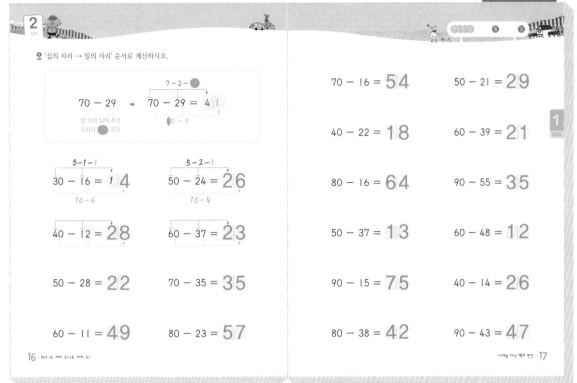

학습가이드

받아내림이 있는 (몇십 몇)−(몇십 몇)의 계산을 학습하는 과정입니다.
이번에는 몇십에서 빼는 십의 자리 뿐만 아니라 일의 자리 수의 변화에도 더 신경을 써야 해서 계산 실수가 자주 일어납니다.
받아내림이 있는 뺄셈을 잘하기 위해 꼭 필요한 과정인 뺄셈구구와 (두 자리 수)−(한 자리 수)의 계산 형식과 관련지어 충분히 연습할 수 있도록 지도해 주세요.

64 − 29	➡	6 − 2 − 1 64 − 29 = 3	➡	14 − 9 64 − 29 = 35
앞 수의 일의 자리 숫자가 작은 경우		십의 자리 숫자끼리 뺄셈을 한 후, 1을 빼서 씁니다.		앞 수의 일의 자리 숫자에 10을 더한 값에서 일의 자리 숫자를 빼서 씁니다.

P 20 ~ 21

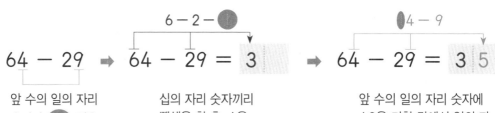

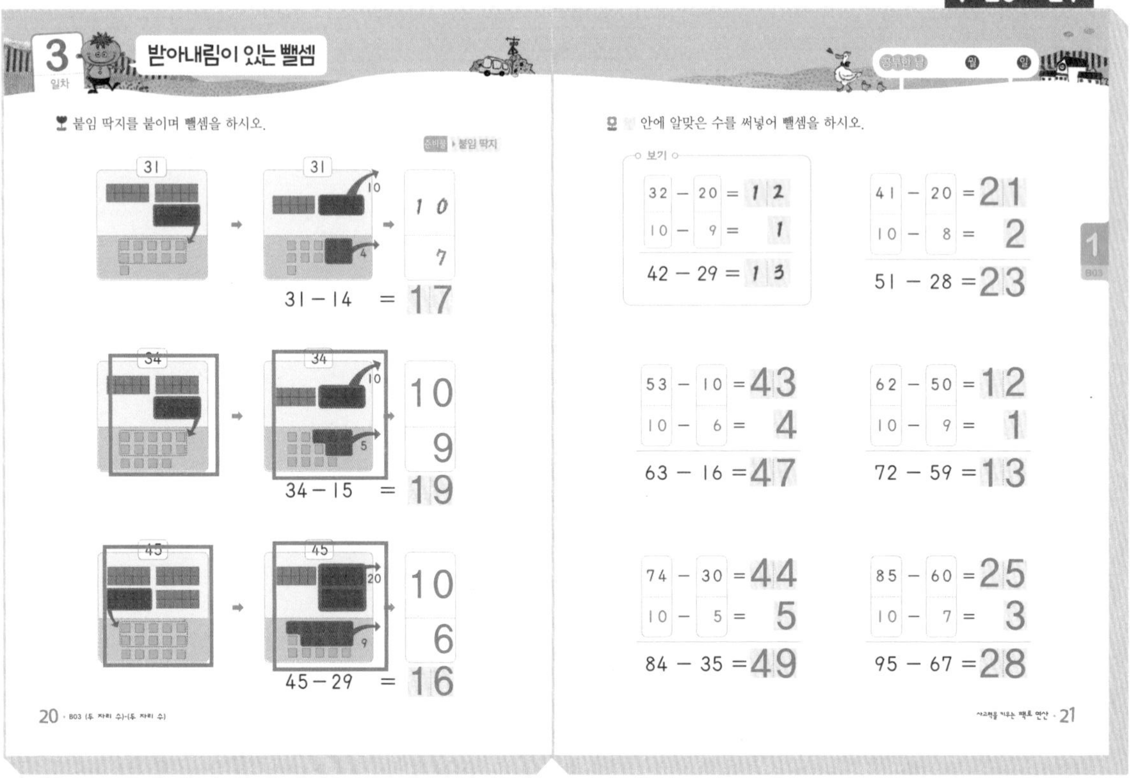
3 일차
받아내림이 있는 뺄셈
붙임 딱지를 붙이며 뺄셈을 하시오.
붙임 딱지
31 − 14 = 17
10
7
34 − 15 = 19
10
9
45 − 29 = 16
10
6
안에 알맞은 수를 써넣어 뺄셈을 하시오.
보기
32 − 20 = 12
10 − 9 = 1
42 − 29 = 13
41 − 20 = 21
10 − 8 = 2
51 − 28 = 23
53 − 10 = 43
10 − 6 = 4
63 − 16 = 47
62 − 50 = 12
10 − 9 = 1
72 − 59 = 13
74 − 30 = 44
10 − 5 = 5
84 − 35 = 49
85 − 60 = 25
10 − 7 = 3
95 − 67 = 28
20
21

P 22 ~ 23

3 일차

'십의 자리 → 일의 자리' 순서로 계산하시오.

64 − 29 → 64 − 29 = 35 (6−2−1, 14−9)

앞 수의 일의 자리 숫자가 작은 경우

32 − 19 = 13 (3−1−1, 12−9)

45 − 27 = 18 (4−2−1, 15−7)

51 − 36 = 15

63 − 28 = 35

76 − 48 = 28

51 − 24 = 27

84 − 35 = 49

73 − 57 = 16

22 · B03 (두 자리 수)-(두 자리 수)

공부한 날 월 일

65 − 18 = 47

52 − 33 = 19

41 − 16 = 25

74 − 29 = 45

62 − 34 = 28

91 − 54 = 37

81 − 37 = 44

73 − 49 = 24

95 − 19 = 76

83 − 15 = 68

75 − 36 = 39

93 − 47 = 46

사고력을 키우는 팩토 연산 · 23

P 24 ~ 25

3 일차

뺄셈을 하시오.

33 − 15 = 18

41 − 19 = 22

54 − 28 = 26

62 − 27 = 35

72 − 39 = 33

43 − 19 = 24

65 − 37 = 28

75 − 48 = 27

84 − 16 = 68

32 − 19 = 13

63 − 27 = 36

83 − 38 = 45

24 · B03 (두 자리 수)-(두 자리 수)

공부한 날 월 일

52 − 16 = 36

63 − 26 = 37

72 − 29 = 43

34 − 15 = 19

46 − 18 = 28

81 − 29 = 52

62 − 37 = 25

93 − 49 = 44

73 − 15 = 58

84 − 68 = 16

92 − 27 = 65

74 − 26 = 48

학습가이드

3일차까지 학습한 (두 자리 수)−(두 자리 수)의 계산을 머릿셈의 방법으로 종합하는 과정입니다.

두 자리 수의 뺄셈을 할 때 두 수의 일의 자리 숫자의 크기를 비교하여 2가지 방법으로 나누어 계산할 수 있도록 지도해 주세요.

아이들이 머리셈을 어려워할 경우 구체물(수모형, 연결큐브 등)을 이용한 뺄셈의 상황을 충분히 조작하여 받아내림에 대한 이해를 높여 주세요.

① 앞 수의 일의 자리 숫자가 큰 경우

$$5-1$$
$$56 - 14 = 4\ 2$$
$$6-4$$

② 앞 수의 일의 자리 숫자가 작은 경우

$$5-3-●$$
$$54 - 39 = 1\ 5$$
$$●4-9$$

P 26 ~ 27

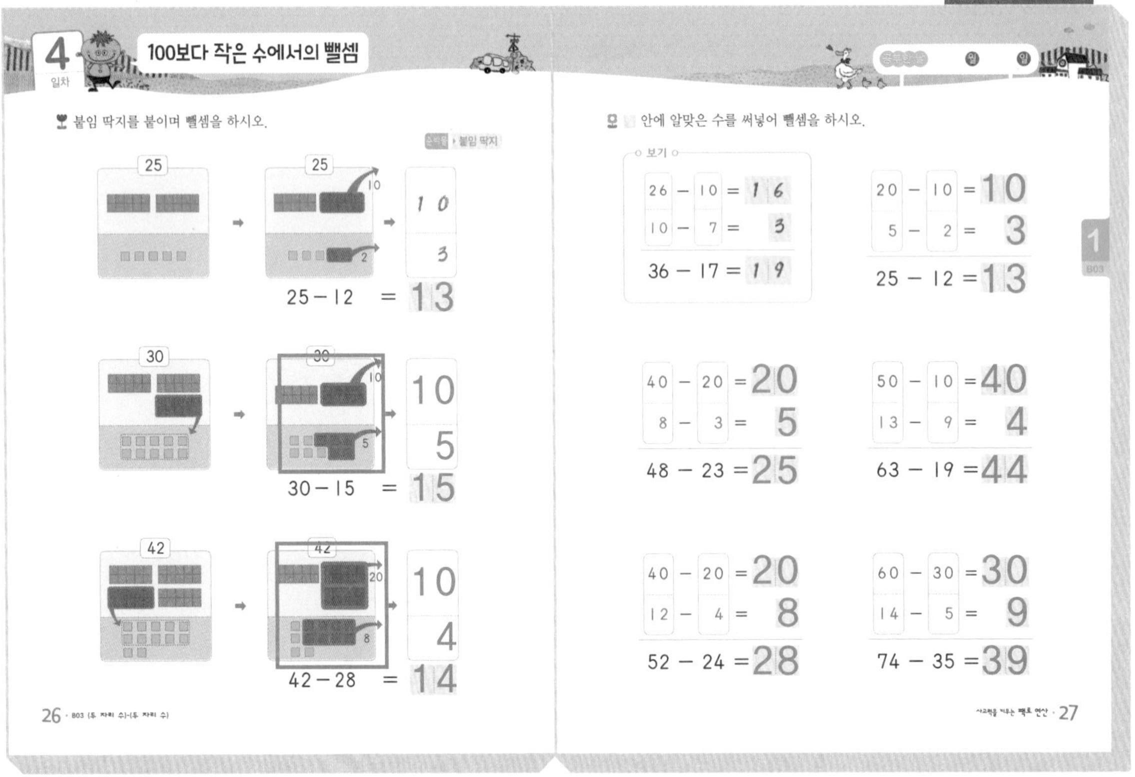

4일차 100보다 작은 수에서의 뺄셈

붙임 딱지를 붙이며 뺄셈을 하시오.

25 − 12 = 13

30 − 15 = 15

42 − 28 = 14

□ 안에 알맞은 수를 써넣어 뺄셈을 하시오.

보기
$$26 - 10 = 1\ 6$$
$$10 - 7 = 3$$
$$36 - 17 = 1\ 9$$

$$20 - 10 = 10$$
$$5 - 2 = 3$$
$$25 - 12 = 13$$

$$40 - 20 = 20$$
$$8 - 3 = 5$$
$$48 - 23 = 25$$

$$50 - 10 = 40$$
$$13 - 9 = 4$$
$$63 - 19 = 44$$

$$40 - 20 = 20$$
$$12 - 4 = 8$$
$$52 - 24 = 28$$

$$60 - 30 = 30$$
$$14 - 5 = 9$$
$$74 - 35 = 39$$

'십의 자리 → 일의 자리' 순서로 계산하시오.

$$56 - 14 \Rightarrow 56 - 14 = 4\,2$$
앞 수의 일의 자리
숫자가 큰 경우

$$54 - 39 \Rightarrow 54 - 39 = 1\,5$$
앞 수의 일의 자리
숫자가 작은 경우

$39 - 13 = 26$ $43 - 21 = 22$ $51 - 26 = 25$ $42 - 18 = 24$

$65 - 24 = 41$ $76 - 32 = 44$ $43 - 25 = 18$ $60 - 23 = 37$

$87 - 35 = 52$ $58 - 23 = 35$ $64 - 17 = 47$ $72 - 57 = 15$

$76 - 61 = 15$ $97 - 44 = 53$ $80 - 24 = 56$ $94 - 25 = 69$

4

뺄셈을 하시오.

$37 - 14 = 23$ $63 - 29 = 34$ $54 - 27 = 27$ $80 - 14 = 66$

$54 - 38 = 16$ $45 - 13 = 32$ $66 - 21 = 45$ $58 - 29 = 29$

$46 - 17 = 29$ $71 - 49 = 22$ $93 - 36 = 57$ $75 - 15 = 60$

$61 - 18 = 43$ $55 - 24 = 31$ $75 - 39 = 36$ $61 - 46 = 15$

$90 - 14 = 76$ $82 - 37 = 45$ $92 - 16 = 76$ $85 - 34 = 51$

$73 - 46 = 27$ $69 - 23 = 46$ $81 - 57 = 24$ $94 - 65 = 29$

4일차까지 익힌 (두 자리 수)−(두 자리 수)의 뺄셈을 세로셈 형식으로 학습하는 과정입니다.

아이들이 처음 세로셈으로 계산할 때에는 받아내림한 수를 빠뜨리고 계산하는 경우가 있으므로 숙달될 때까지는 지우는 수를 표시하고 받아내림 한 수를 꼭 기록하도록 지도합니다.

더 나아가 세 자리 수의 덧셈, 뺄셈 등과 같은 큰 수의 계산도 세로셈으로 고쳐서 계산하면 쉽고 편리하게 계산할 수 있다는 것을 경험하게 해 주세요.

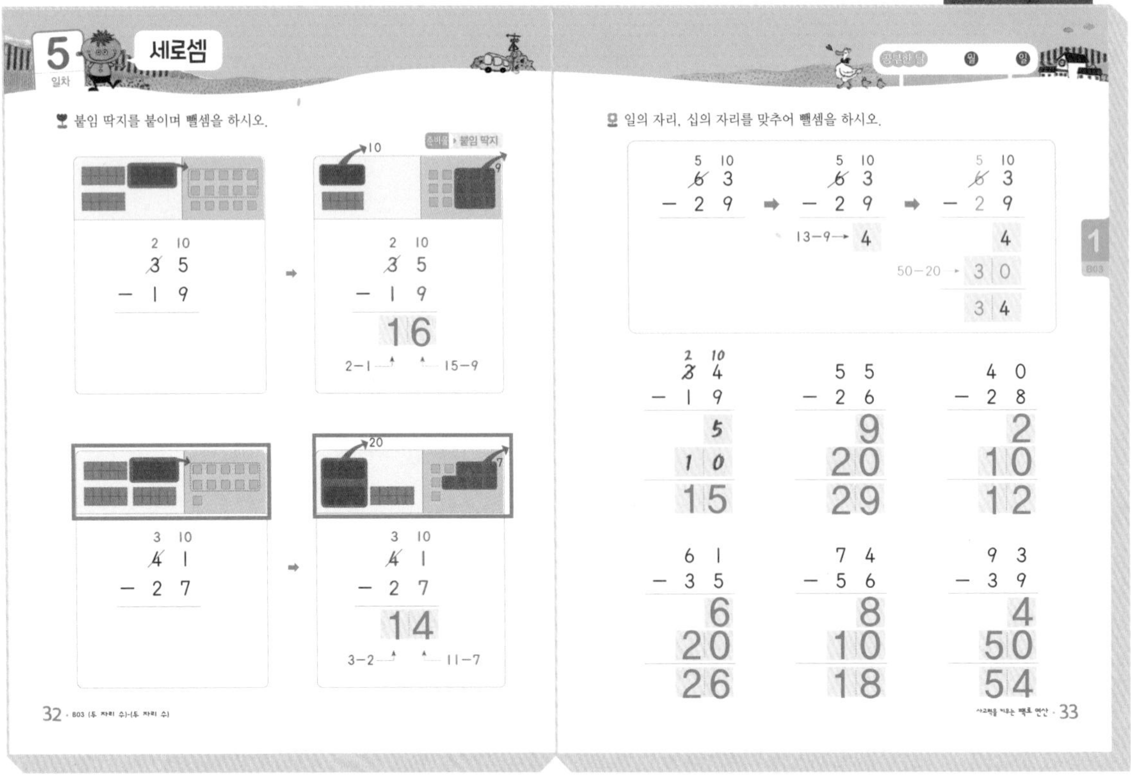

P 34 ~ 35

5 일차

○ 일의 자리, 십의 자리를 맞추어 뺄셈을 하시오.

$$
\begin{array}{r}
{\scriptstyle 5\ 10} \\
\not{6}\ 2 \\
-\ 1\ 9 \\
\hline
\end{array}
\Rightarrow
\begin{array}{r}
{\scriptstyle 5\ 10} \\
\not{6}\ 2 \\
-\ 1\ 9 \\
\hline
3
\end{array}
\Rightarrow
\begin{array}{r}
{\scriptstyle 5\ 10} \\
\not{6}\ 2 \\
-\ 1\ 9 \\
\hline
4\ 3
\end{array}
$$

$$
\begin{array}{r}
{\scriptstyle 2\ 10} \\
\not{3}\ 5 \\
-\ 1\ 8 \\
\hline
17
\end{array}
\quad
\begin{array}{r}
{\scriptstyle 4\ 10} \\
5\ 0 \\
-\ 2\ 1 \\
\hline
29
\end{array}
\quad
\begin{array}{r}
{\scriptstyle 3\ 10} \\
4\ 3 \\
-\ 1\ 9 \\
\hline
24
\end{array}
$$

$$
\begin{array}{r}
{\scriptstyle 4\ 10} \\
5\ 6 \\
-\ 3\ 7 \\
\hline
19
\end{array}
\quad
\begin{array}{r}
{\scriptstyle 5\ 10} \\
6\ 4 \\
-\ 2\ 6 \\
\hline
38
\end{array}
\quad
\begin{array}{r}
{\scriptstyle 6\ 10} \\
7\ 2 \\
-\ 3\ 5 \\
\hline
37
\end{array}
$$

$$
\begin{array}{r}
{\scriptstyle 5\ 10} \\
6\ 2 \\
-\ 2\ 8 \\
\hline
34
\end{array}
\quad
\begin{array}{r}
{\scriptstyle 4\ 10} \\
5\ 3 \\
-\ 1\ 7 \\
\hline
36
\end{array}
\quad
\begin{array}{r}
{\scriptstyle 6\ 10} \\
7\ 4 \\
-\ 3\ 9 \\
\hline
35
\end{array}
$$

$$
\begin{array}{r}
{\scriptstyle 7\ 10} \\
8\ 1 \\
-\ 2\ 3 \\
\hline
58
\end{array}
\quad
\begin{array}{r}
{\scriptstyle 5\ 10} \\
6\ 0 \\
-\ 1\ 6 \\
\hline
44
\end{array}
\quad
\begin{array}{r}
{\scriptstyle 8\ 10} \\
9\ 2 \\
-\ 3\ 7 \\
\hline
55
\end{array}
$$

$$
\begin{array}{r}
{\scriptstyle 6\ 10} \\
7\ 3 \\
-\ 2\ 5 \\
\hline
48
\end{array}
\quad
\begin{array}{r}
{\scriptstyle 8\ 10} \\
9\ 6 \\
-\ 2\ 9 \\
\hline
67
\end{array}
\quad
\begin{array}{r}
{\scriptstyle 7\ 10} \\
8\ 4 \\
-\ 3\ 8 \\
\hline
46
\end{array}
$$

P 36 ~ 37

5 일차

○ 뺄셈을 하시오.

$$
\begin{array}{r}
3\ 0 \\
-\ 1\ 7 \\
\hline
13
\end{array}
\quad
\begin{array}{r}
5\ 1 \\
-\ 3\ 9 \\
\hline
12
\end{array}
\quad
\begin{array}{r}
4\ 0 \\
-\ 1\ 8 \\
\hline
22
\end{array}
$$

$$
\begin{array}{r}
4\ 3 \\
-\ 2\ 7 \\
\hline
16
\end{array}
\quad
\begin{array}{r}
3\ 2 \\
-\ 1\ 5 \\
\hline
17
\end{array}
\quad
\begin{array}{r}
5\ 0 \\
-\ 1\ 6 \\
\hline
34
\end{array}
$$

$$
\begin{array}{r}
6\ 5 \\
-\ 2\ 6 \\
\hline
39
\end{array}
\quad
\begin{array}{r}
5\ 1 \\
-\ 2\ 3 \\
\hline
28
\end{array}
\quad
\begin{array}{r}
7\ 4 \\
-\ 5\ 9 \\
\hline
15
\end{array}
$$

$$
\begin{array}{r}
5\ 4 \\
-\ 1\ 7 \\
\hline
37
\end{array}
\quad
\begin{array}{r}
6\ 5 \\
-\ 2\ 9 \\
\hline
36
\end{array}
\quad
\begin{array}{r}
7\ 1 \\
-\ 4\ 6 \\
\hline
25
\end{array}
$$

$$
\begin{array}{r}
6\ 2 \\
-\ 3\ 6 \\
\hline
26
\end{array}
\quad
\begin{array}{r}
8\ 1 \\
-\ 5\ 7 \\
\hline
24
\end{array}
\quad
\begin{array}{r}
9\ 2 \\
-\ 4\ 5 \\
\hline
47
\end{array}
$$

$$
\begin{array}{r}
8\ 7 \\
-\ 3\ 9 \\
\hline
48
\end{array}
\quad
\begin{array}{r}
7\ 3 \\
-\ 2\ 8 \\
\hline
45
\end{array}
\quad
\begin{array}{r}
9\ 5 \\
-\ 6\ 7 \\
\hline
28
\end{array}
$$

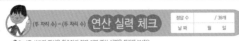

P 38 ~ 39

(두 자리 수) - (두 자리 수) **연산 실력 체크**

정답 수	/ 39개
날짜	월 일

🖐 2~4주 사고력 연산을 학습하기 전에 기본 연산 실력을 점검해 보세요.

1. 36 − 24 = 12

2. 65 − 11 = 54

3. 28 − 13 = 15

4. 60 − 46 = 14

5. 50 − 25 = 25

6. 70 − 14 = 56

7. 34 − 11 = 23

8. 52 − 25 = 27

9. 41 − 13 = 28

10. 74 − 34 = 40

11. 80 − 47 = 33

12. 65 − 36 = 29

13. 45 − 27 = 18

14. 63 − 29 = 34

15. 51 − 14 = 37

16. 92 − 36 = 56

17. 85 − 42 = 43

18. 62 − 13 = 49

19. 46 − 16 = 30

20. 31 − 13 = 18

21. 67 − 30 = 37

22. 87 − 29 = 58

23. 73 − 56 = 17

24. 96 − 27 = 69

38 · B03 (두 자리 수)-(두 자리 수)

사고력을 키우는 팩토 연산 · 39

연산 실력 체크 123

P 40 ~ 41

(두 자리 수) - (두 자리 수)

25.
```
  4 3
− 2 1
─────
  2 2
```

26.
```
  5 7
− 1 3
─────
  4 4
```

27.
```
  7 6
− 3 4
─────
  4 2
```

28.
```
  5 0
− 3 7
─────
  1 3
```

29.
```
  7 0
− 1 4
─────
  5 6
```

30.
```
  9 0
− 4 5
─────
  4 5
```

31.
```
  4 3
− 1 6
─────
  2 7
```

32.
```
  5 1
− 2 7
─────
  2 4
```

33.
```
  6 5
− 3 9
─────
  2 6
```

34.
```
  9 2
− 2 9
─────
  6 3
```

35.
```
  8 4
− 1 8
─────
  6 6
```

36.
```
  7 7
− 3 9
─────
  3 8
```

37.
```
  9 2
− 3 8
─────
  5 4
```

38.
```
  8 1
− 4 4
─────
  3 7
```

39.
```
  9 3
− 5 8
─────
  3 5
```

연산 실력 체크 123

연산 실력 분석

오답 수에 맞게 학습을 진행하시기 바랍니다.

평가	오답 수	학습 방법
최고예요	0 ~ 2개	전반적으로 학습 내용에 대해 정확히 이해하고 있으며 매우 우수합니다. 기본 연산 문제를 자신 있게 풀 수 있는 실력을 갖추었으므로 이제는 사고력을 향상시킬 차례입니다. 2주차부터 차근차근 학습을 진행해 보세요. 학습 [2주차] → [3주차] → [4주차]
잘했어요	3 ~ 4개	기본 연산 문제를 전반적으로 잘 이해하고 있지만 약간의 실수가 있는 것 같습니다. 틀린 문제를 다시 한 번 풀어 보고, 문제를 차근차근 푸는 습관을 갖도록 노력해 보세요. 매스티안 홈페이지에서 제공하는 보충 학습으로 연산 실력을 향상시킨 후 2, 3, 4주차 학습을 진행해 주세요. 학습 [틀린 문제 복습] → [보충 학습] → [2주차]
노력해요	5개 이상	개념을 정확히 이해하고 있지 않아 연산을 하는데 어려움이 있습니다. 개념을 이해하고 연산 문제를 반복해서 연습해 보세요. 매스티안 홈페이지에서 제공하는 보충 학습으로 연산 실력을 향상시키는데 도움이 될 것입니다. 여러분도 곧 연산왕이 될 수 있습니다. 조금만 힘을 내 주세요. 학습 [1주차 원리 중심 복습] → [보충 학습] → [2주차] →

매스티안 홈페이지: www.mathtian.com

40 · B03 (두 자리 수)-(두 자리 수)

사고력을 키우는 팩토 연산 · 41

P 44 ~ 45

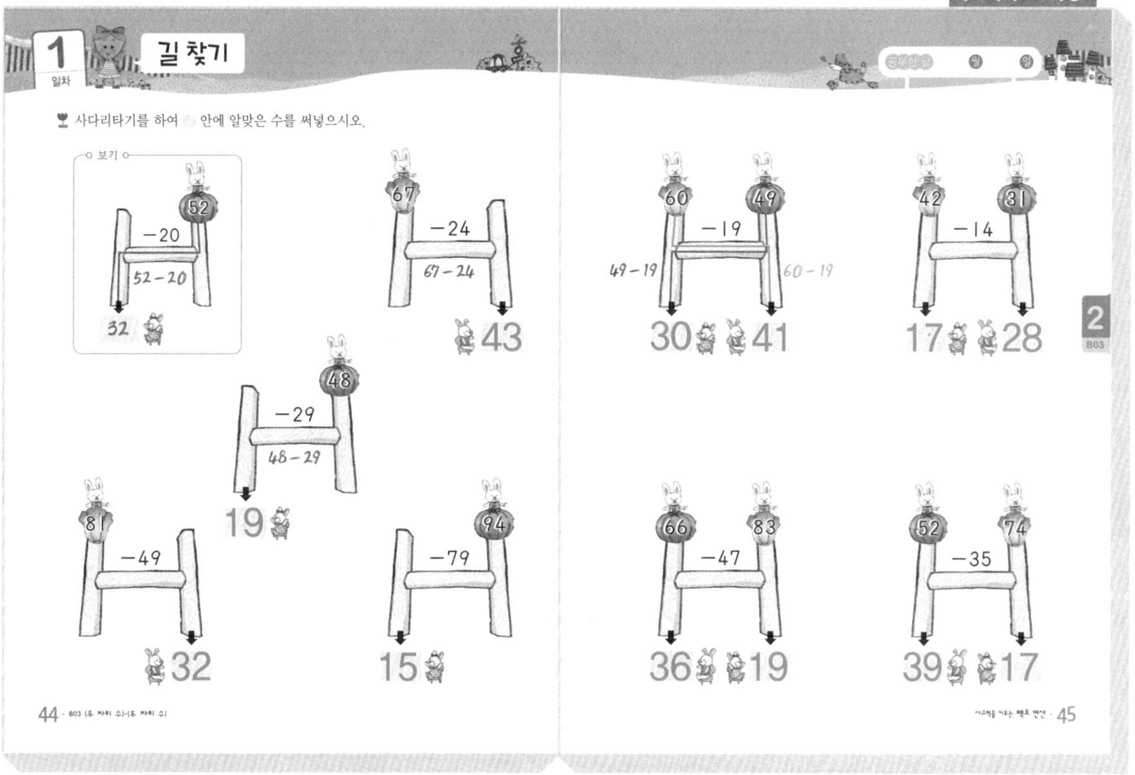

1 일차 길 찾기

🐱 사다리타기를 하여 ◯ 안에 알맞은 수를 써넣으시오.

보기

52
−20
52−20
32

67
−24
67−24
🐰43

60 49
−19
49−19   60−19
30 🐰 41

42 31
−14
17 🐰 28

48
−29
48−29
19 🐰

81
−49
🐰32

94
−79
15 🐰

66 83
−47
36 🐰 19

52 74
−35
39 🐰 17

P 46 ~ 47

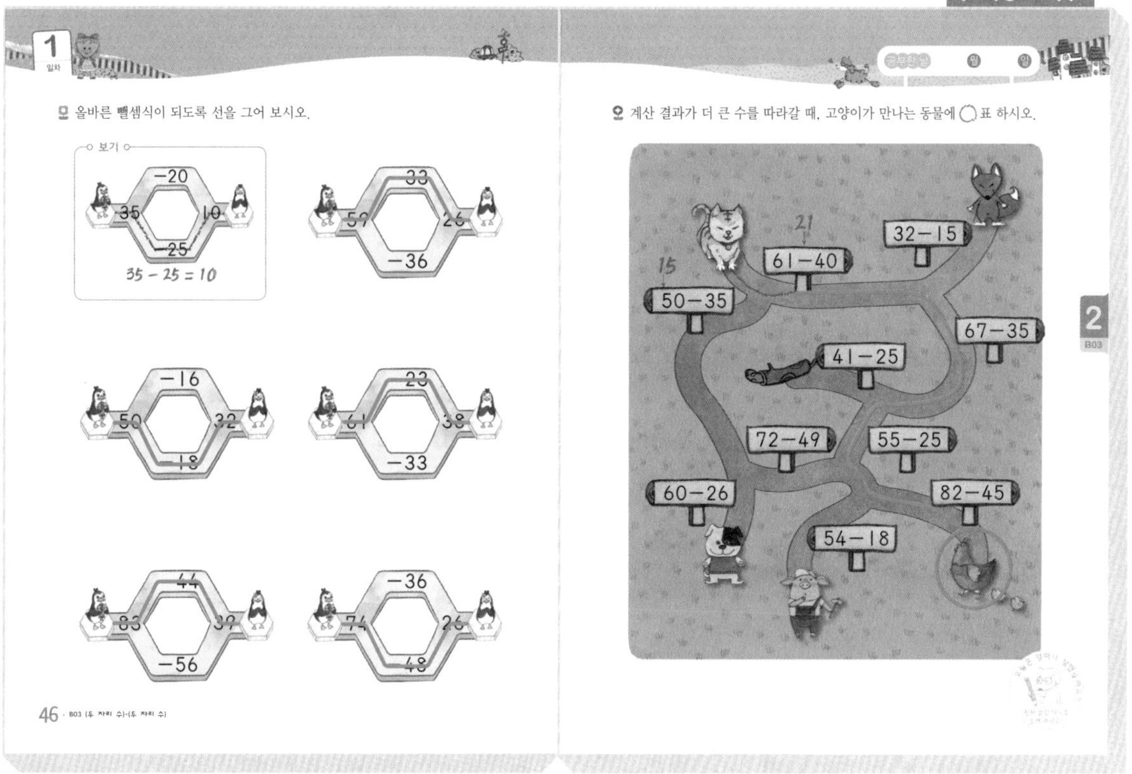

1 일차

🐱 올바른 뺄셈식이 되도록 선을 그어 보시오.

보기
−20
35 10
−25
35 − 25 = 10

−33
57 26
−36

−16
50 32
18

23
51 38
−33

44
83 32
−56

−36
74 26
48

🐱 계산 결과가 더 큰 수를 따라갈 때, 고양이가 만나는 동물에 ◯표 하시오.

21
15
32−15
61−40
50−35
67−35
41−25
72−49   55−25
60−26
82−45
54−18

P 48 ~ 49

P 50 ~ 51

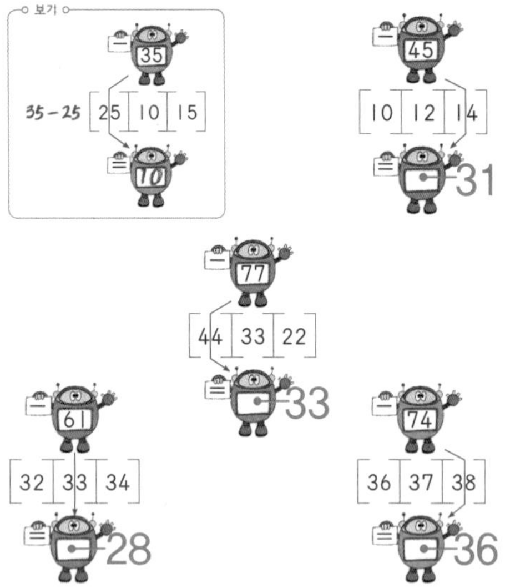

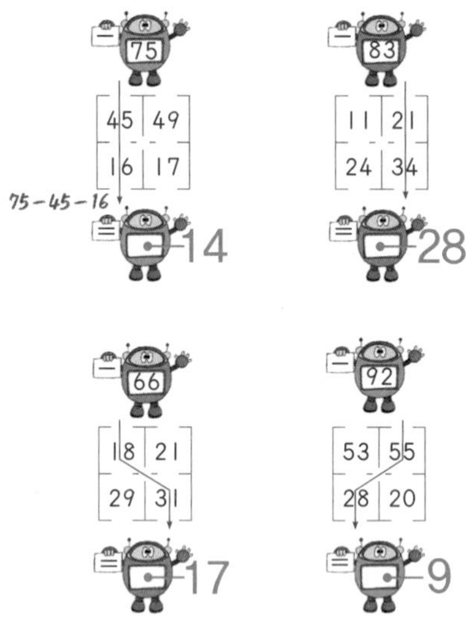

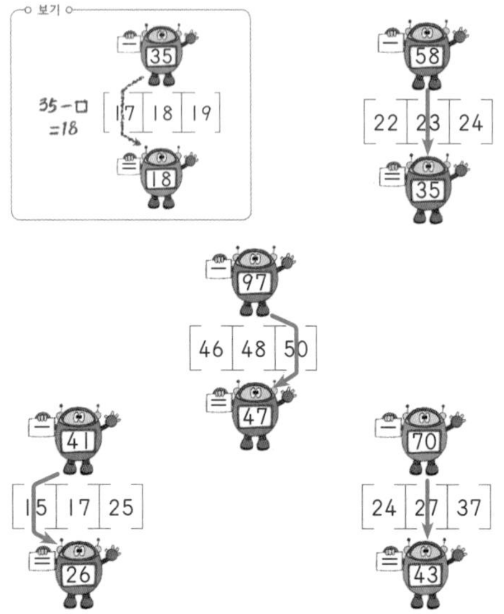

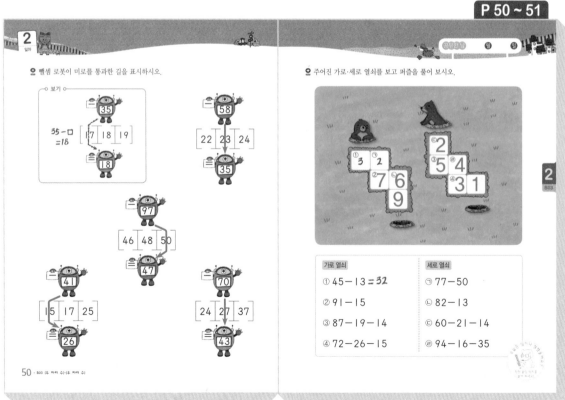

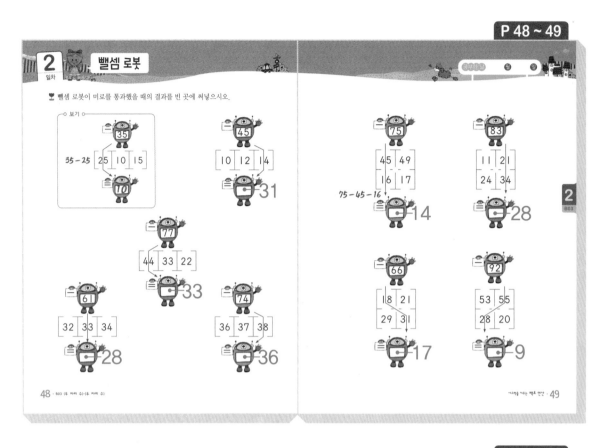

가로 열쇠	세로 열쇠
① 45 − 13 = 32	㉠ 77 − 50
② 91 − 15	㉡ 82 − 13
③ 87 − 19 − 14	㉢ 60 − 21 − 14
④ 72 − 26 − 15	㉣ 94 − 16 − 35

P 52 ~ 53

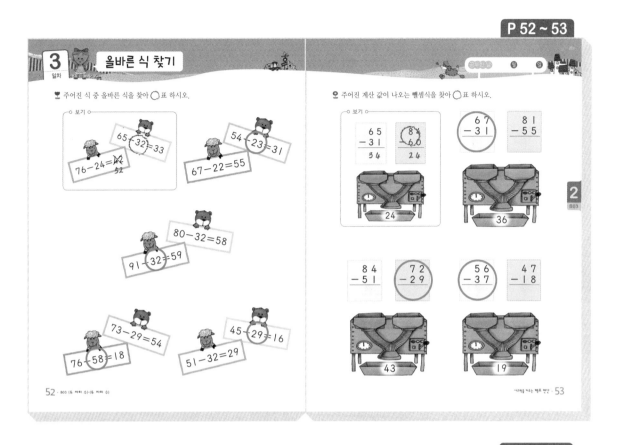

P 54 ~ 55

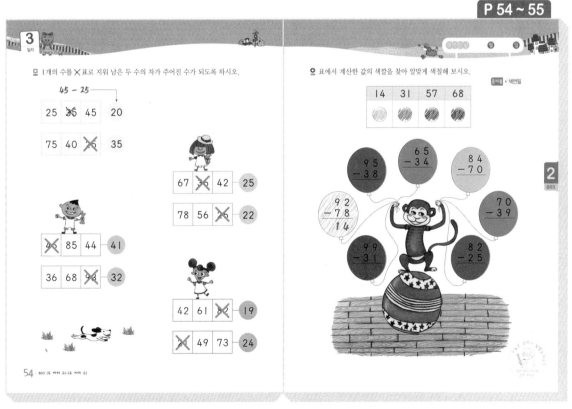

P 56 ~ 57

4 일차 측정 셈

안에 알맞은 수를 써넣으시오.

보기: 28, 62 (90－28), 90

- 50, 24 (74－50), 74
- 17, 41, 58
- 43, 26, 69
- 13, 39, 52
- 17, 55, 72
- 43, 38, 81
- 18, 49, 67

P 58 ~ 59

4 일차

양팔 저울이 수평을 이루도록 안에 알맞은 수를 써넣으시오.

보기: 68, 32 → 68, 32, 36 (68－32)

- 80, 59, 21 (80－59)
- 68, 31, 37
- 77, 49, 28
- 41, 27, 14
- 84, 57, 27

원숭이, 토끼, 오리의 키를 구하여 안에 알맞은 수를 써넣으시오.

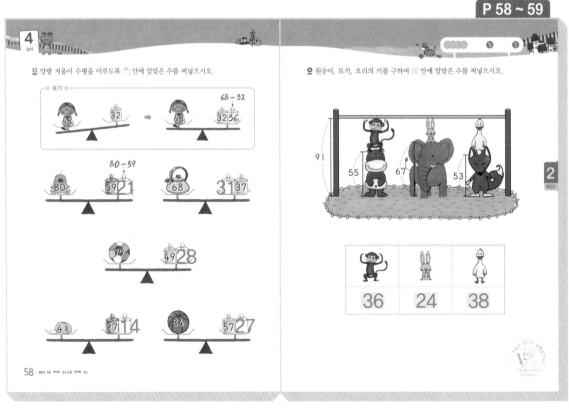

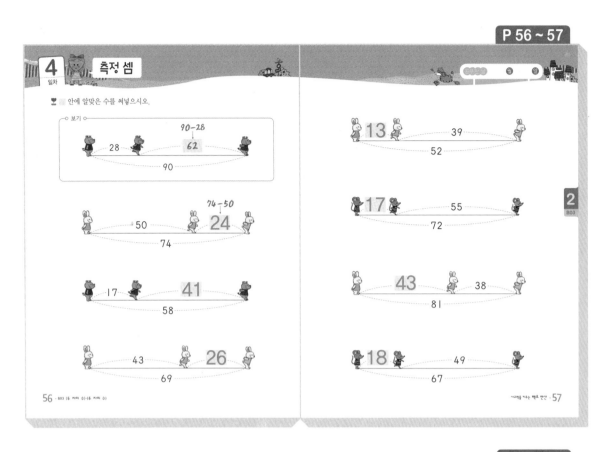

원숭이	토끼	오리
36	24	38

P 60 ~ 61

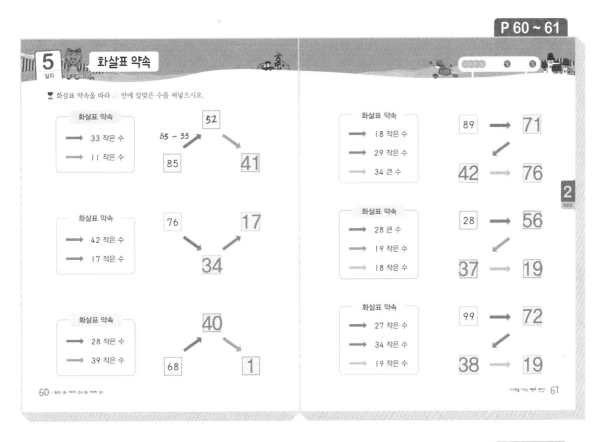

P 62 ~ 63

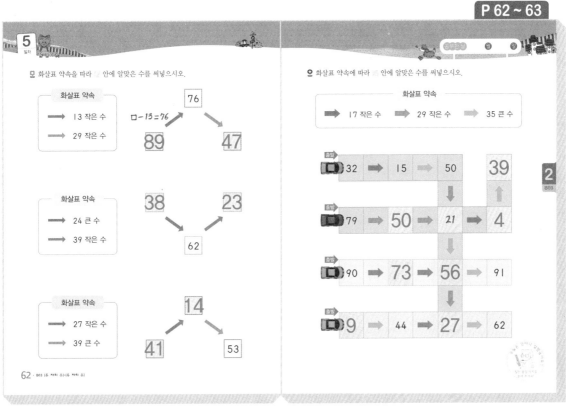

P 66 ~ 67

P 68 ~ 69

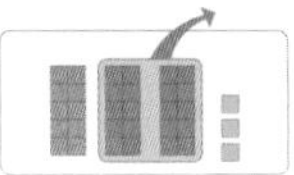

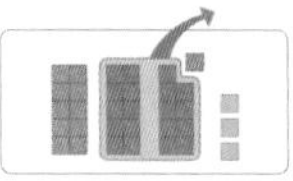

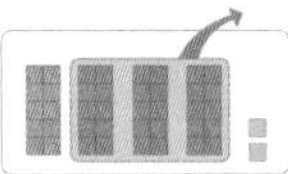

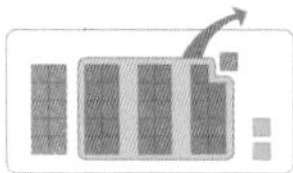

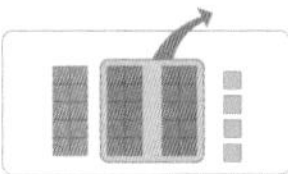

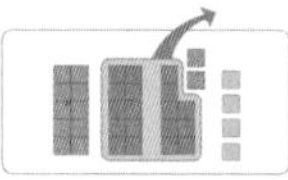

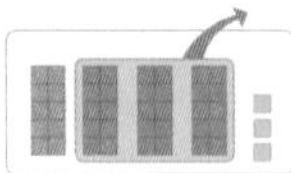

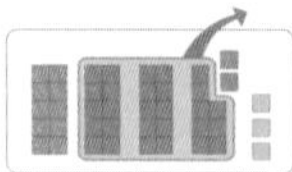

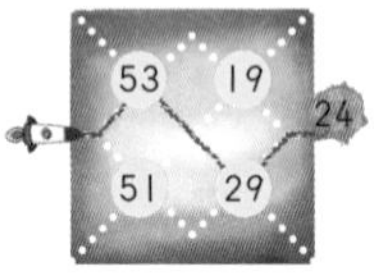

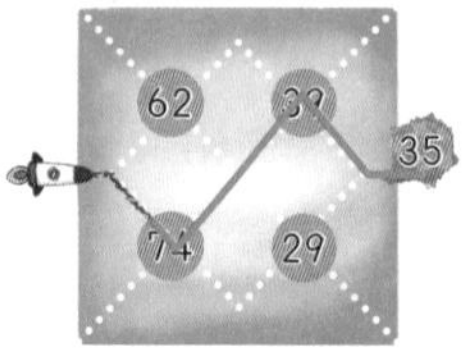

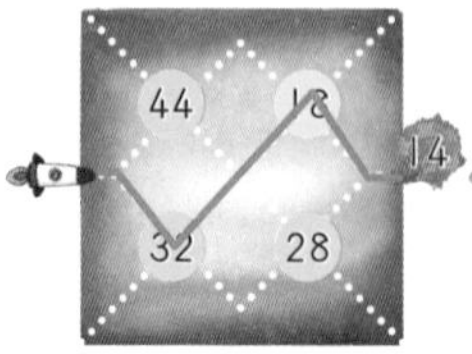

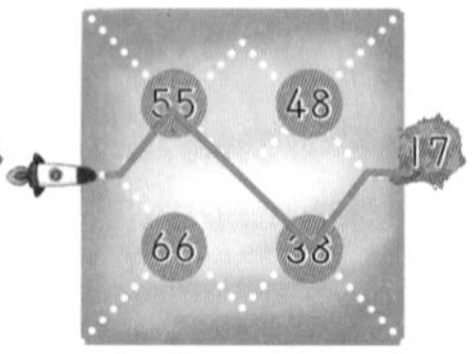

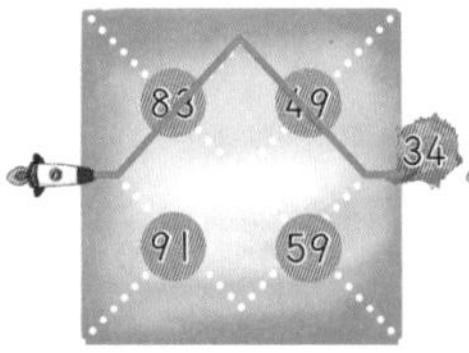

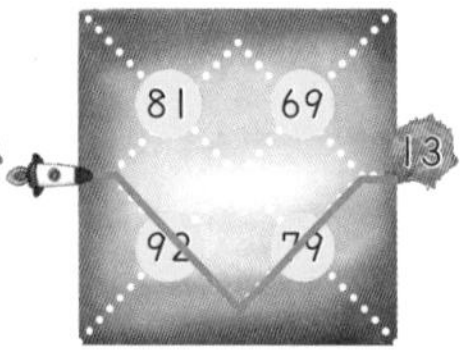

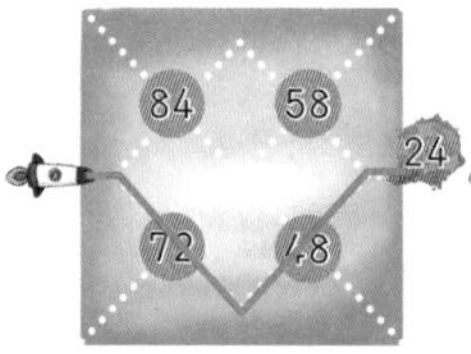

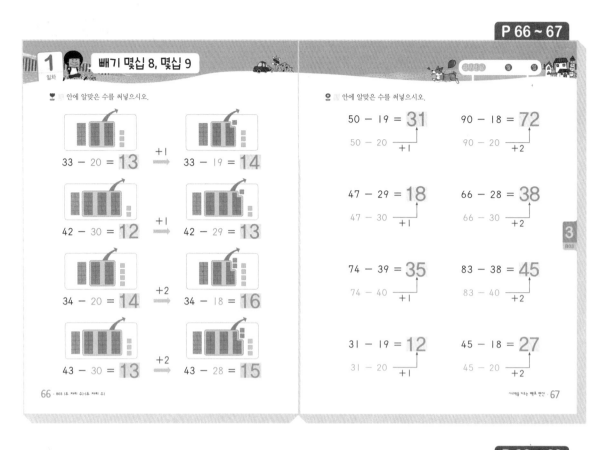

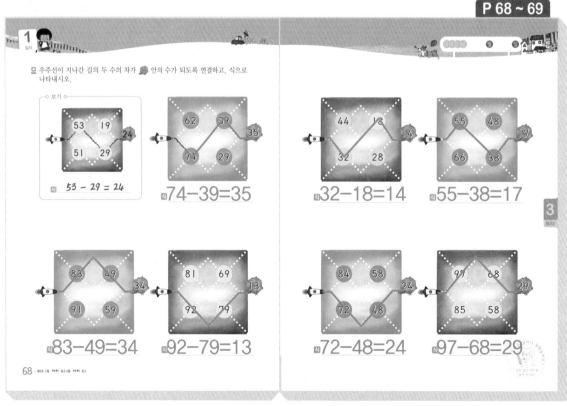

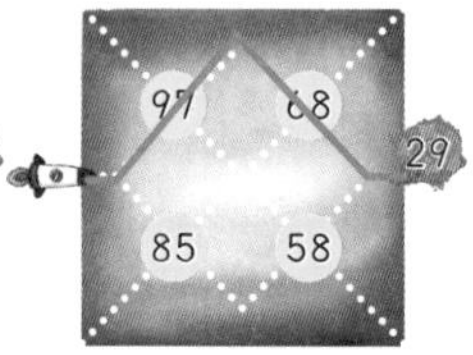

P 70 ~ 71

2 일차 약속 셈

약속에 맞게 식을 계산하여 안에 알맞은 수를 써넣으시오.

약속 가 ◆ 나 = 가 − 나 + 20

50 ◆ 30 = 50 − 30 + 20 = 40

74 ◆ 41 = 74 − 41 + 20 = 53

86 ◆ 68 = 86 − 68 + 20 = 38

약속 가 ▲ 나 = 가 − 나 − 19

70 ▲ 40 = 70 − 40 − 19 = 11

48 ▲ 15 = 48 − 15 − 19 = 14

93 ▲ 39 = 93 − 39 − 19 = 35

70 · B03 (두 자리 수)-(두 자리 수)

공부한 날 월 일

약속 가 ★ 나 = 가 − 나 + 가

40 ★ 20 = 40 − 20 + 40 = 60

48 ★ 22 = 48 − 22 + 48 = 74

71 ★ 45 = 71 − 45 + 71 = 97

약속 가 ♥ 나 = 가 − 나 − 나

80 ♥ 30 = 80 − 30 − 30 = 20

47 ♥ 14 = 47 − 14 − 14 = 19

95 ♥ 29 = 95 − 29 − 29 = 37

사고력을 키우는 팩토 연산 · 71

P 72 ~ 73

2 일차

약속에 맞게 식을 계산하여 안에 알맞은 수를 써넣으시오.

약속 가 ♠ 나 = 72 − 가 + 나

50 ♠ 30 = 52 (→ 72 − 50 + 30)

31 ♠ 17 = 58

46 ♠ 22 = 48

69 ♠ 39 = 42

약속 가 ♣ 나 = 나 − 가 − 가

10 ♣ 60 = 40 (→ 60 − 10 − 10)

32 ♣ 77 = 13

29 ♣ 85 = 27

33 ♣ 91 = 25

72 · B03 (두 자리 수)-(두 자리 수)

공부한 날 월 일

약속
32 ◉ 30 = 32 + 30 − 11 = 51
48 ◉ 12 = 48 + 12 − 11 = 49

57 ◉ 29 = 57 + 29 − 11 = 75

72 ◉ 18 = 72 + 18 − 11 = 79

약속
20 ◈ 40 = 40 − 20 + 40 = 60
31 ◈ 52 = 52 − 31 + 52 = 73

39 ◈ 45 = 45 − 39 + 45 = 51

28 ◈ 60 = 60 − 28 + 60 = 92

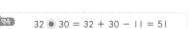

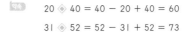

P 74 ~ 75

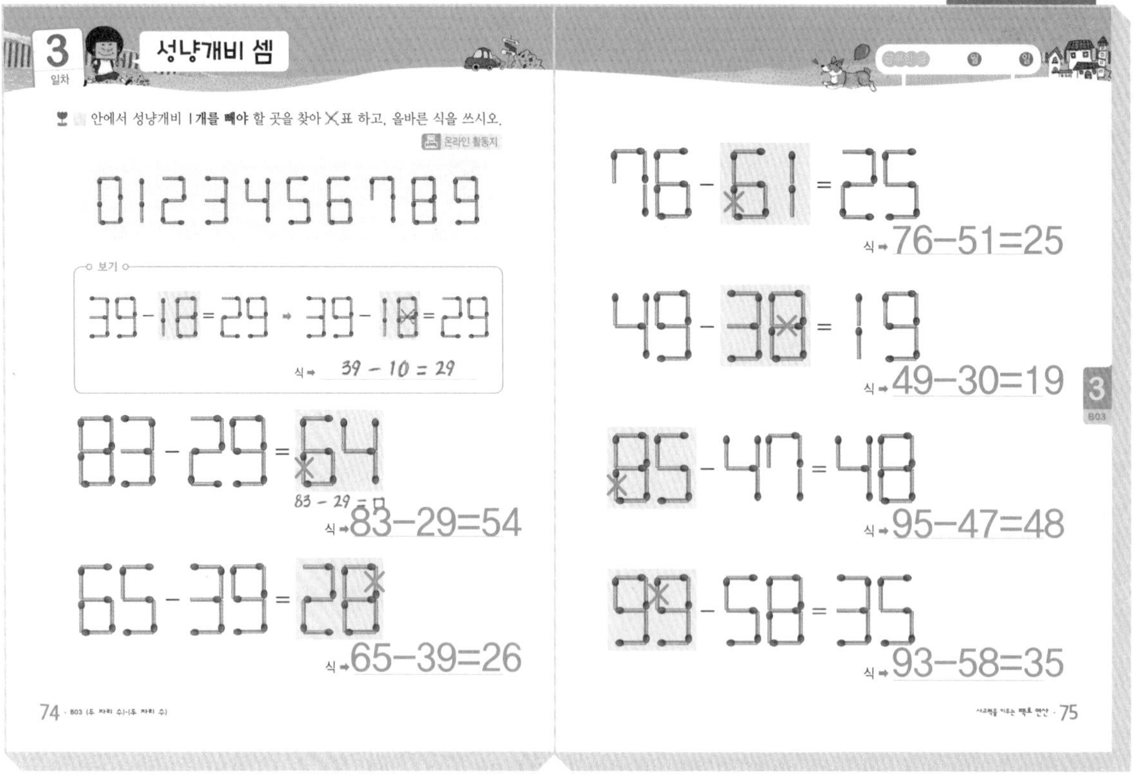

3 일차 성냥개비 셈

안에서 성냥개비 1개를 빼야 할 곳을 찾아 ╳표 하고, 올바른 식을 쓰시오.

온라인 활동지

0 1 2 3 4 5 6 7 8 9

보기

39-18=29 → 39-18=29

식 → 39 − 10 = 29

83-29=64

83 − 29 = □

식 → 83−29=54

65-39=28

식 → 65−39=26

76-61=25

식 → 76−51=25

49-38=19

식 → 49−30=19

85-47=48

식 → 95−47=48

99-58=35

식 → 93−58=35

74 · B03 (두 자리 수)-(두 자리 수)

사고력을 키우는 팩토 연산 · 75

P 76 ~ 77

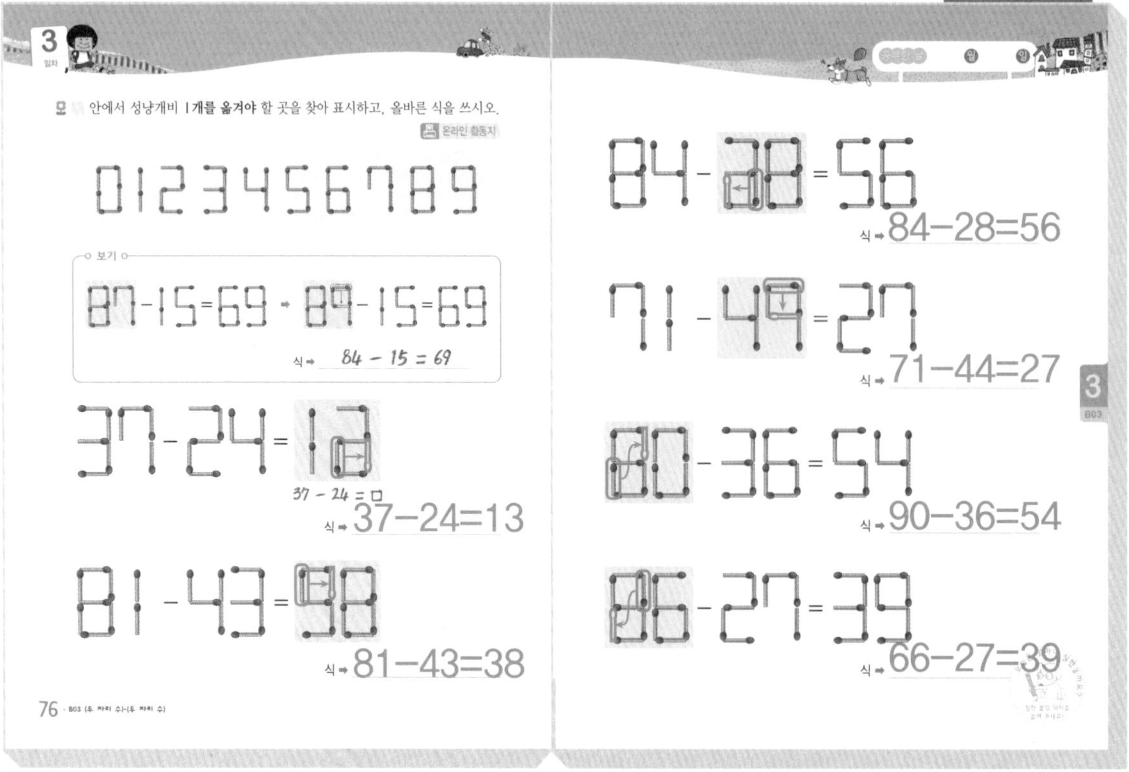

3 일차

안에서 성냥개비 1개를 옮겨야 할 곳을 찾아 표시하고, 올바른 식을 쓰시오.

온라인 활동지

0 1 2 3 4 5 6 7 8 9

보기

87-15=69 → 89-15=69

식 → 84 − 15 = 69

37-24=12

37 − 24 = □

식 → 37−24=13

81-43=98

식 → 81−43=38

84-38=56

식 → 84−28=56

71-49=27

식 → 71−44=27

80-36=54

식 → 90−36=54

86-27=39

식 → 66−27=39

76 · B03 (두 자리 수)-(두 자리 수)

P 78 ~ 79

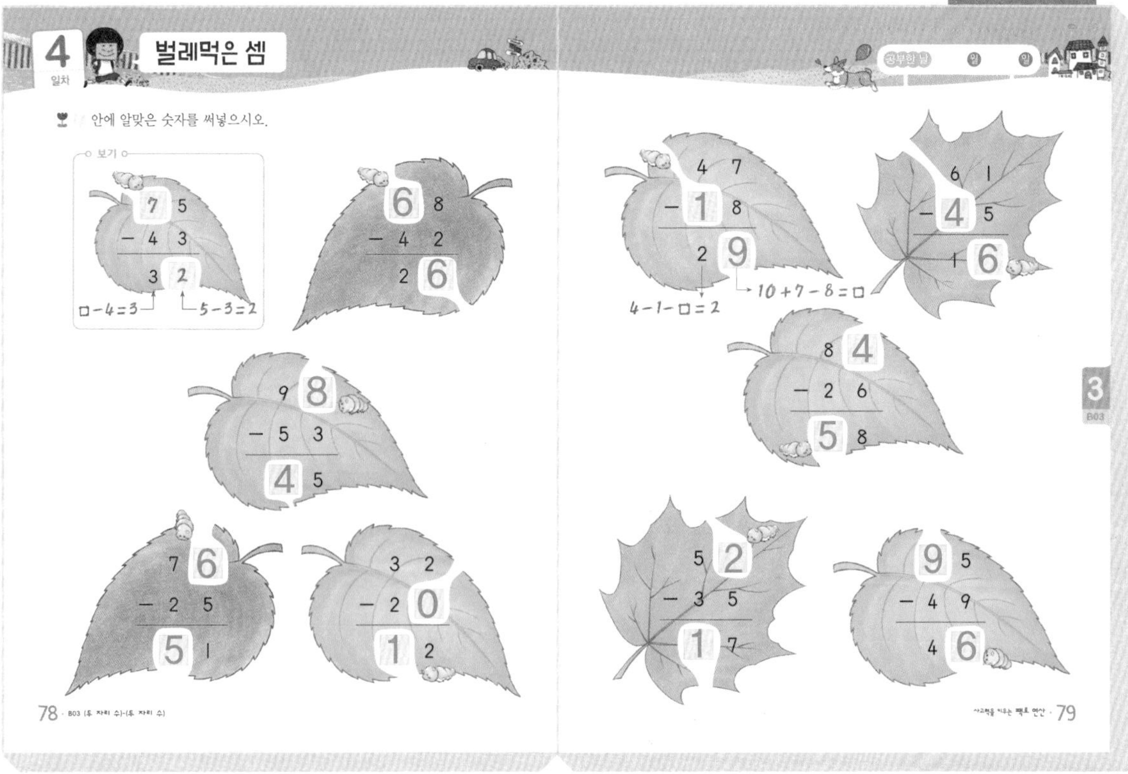

4 일차 벌레먹은 셈

♥ 안에 알맞은 숫자를 써넣으시오.

보기
$$\begin{array}{r} 7\;5 \\ -\;4\;3 \\ \hline 3\;2 \end{array}$$
□-4=3 → 5-3=2

$$\begin{array}{r} 6\;8 \\ -\;4\;2 \\ \hline 2\;6 \end{array}$$

$$\begin{array}{r} 9\;8 \\ -\;5\;3 \\ \hline 4\;5 \end{array}$$

$$\begin{array}{r} 7\;6 \\ -\;2\;5 \\ \hline 5\;1 \end{array}$$

$$\begin{array}{r} 3\;2 \\ -\;2\;0 \\ \hline 1\;2 \end{array}$$

$$\begin{array}{r} 4\;7 \\ -\;1\;8 \\ \hline 2\;9 \end{array}$$
4-1-□=2 → 10+7-8=□

$$\begin{array}{r} 6\;1 \\ -\;4\;5 \\ \hline 1\;6 \end{array}$$

$$\begin{array}{r} 7\;4 \\ -\;2\;6 \\ \hline 5\;8 \end{array}$$

$$\begin{array}{r} 5\;2 \\ -\;3\;5 \\ \hline 1\;7 \end{array}$$

$$\begin{array}{r} 9\;5 \\ -\;4\;9 \\ \hline 4\;6 \end{array}$$

78 · B03 (두 자리 수)-(두 자리 수)

사고력을 키우는 팩토 연산 · 79

P 80 ~ 81

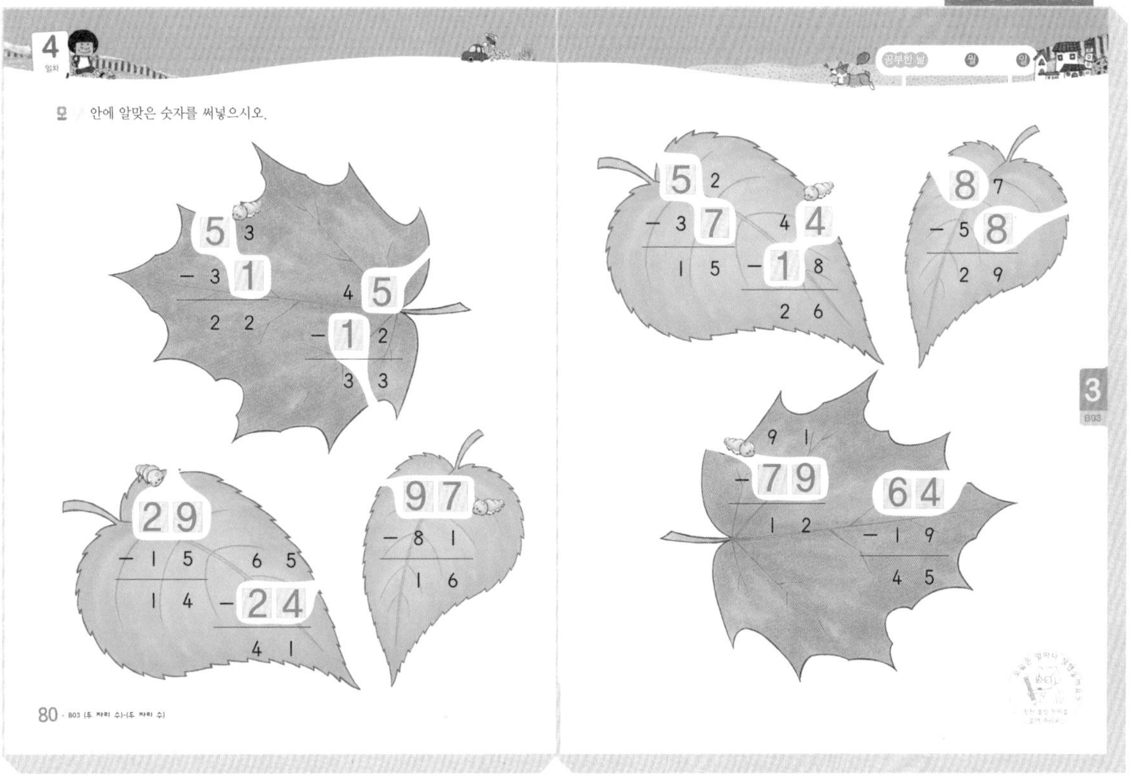

4 일차

모 안에 알맞은 숫자를 써넣으시오.

$$\begin{array}{r} 5\;3 \\ -\;3\;1 \\ \hline 2\;2 \end{array}$$

$$\begin{array}{r} 4\;5 \\ -\;1\;2 \\ \hline 3\;3 \end{array}$$

$$\begin{array}{r} 2\;9 \\ -\;1\;5 \\ \hline 1\;4 \end{array}$$

$$\begin{array}{r} 6\;5 \\ -\;2\;4 \\ \hline 4\;1 \end{array}$$

$$\begin{array}{r} 9\;7 \\ -\;8\;1 \\ \hline 1\;6 \end{array}$$

$$\begin{array}{r} 5\;2 \\ -\;3\;7 \\ \hline 1\;5 \end{array}$$

$$\begin{array}{r} 4\;4 \\ -\;1\;6 \\ \hline 2\;8 \end{array}$$

$$\begin{array}{r} 8\;7 \\ -\;5\;8 \\ \hline 2\;9 \end{array}$$

$$\begin{array}{r} 9\;1 \\ -\;7\;9 \\ \hline 1\;2 \end{array}$$

$$\begin{array}{r} 6\;4 \\ -\;1\;9 \\ \hline 4\;5 \end{array}$$

80 · B03 (두 자리 수)-(두 자리 수)

P 82 ~ 83

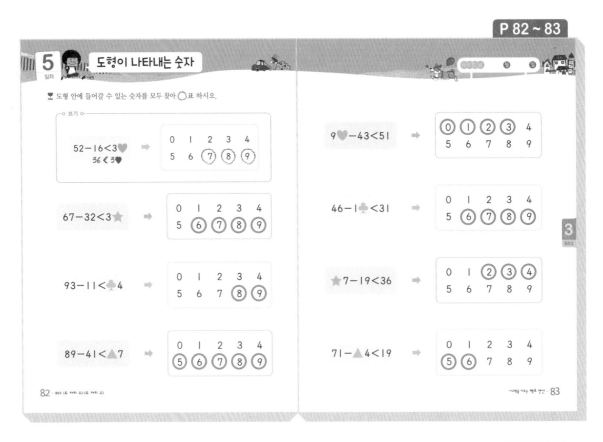

5일차 도형이 나타내는 숫자

♥ 도형 안에 들어갈 수 있는 숫자를 모두 찾아 ○표 하시오.

보기

$52-16<3♥$
$36 < 3♥$
⇒ 0 1 2 3 4　5 6 ⑦ ⑧ ⑨

$67-32<3★$ ⇒ 0 1 2 3 4　5 ⑥ ⑦ ⑧ ⑨

$93-11<♣4$ ⇒ 0 1 2 3 4　5 6 7 ⑧ ⑨

$89-41<▲7$ ⇒ 0 1 2 3 4　⑤ ⑥ ⑦ ⑧ ⑨

$9♥-43<51$ ⇒ ⓪ ① ② ③ 4　5 6 7 8 9

$46-1♣<31$ ⇒ 0 1 2 3 4　5 ⑥ ⑦ ⑧ ⑨

$★7-19<36$ ⇒ 0 1 ② ③ ④　5 6 7 8 9

$71-▲4<19$ ⇒ 0 1 2 3 4　⑤ ⑥ 7 8 9

82 · B03 (두 자리 수)-(두 자리 수)

사고력을 키우는 쏙쏙 연산 · 83

P 84 ~ 85

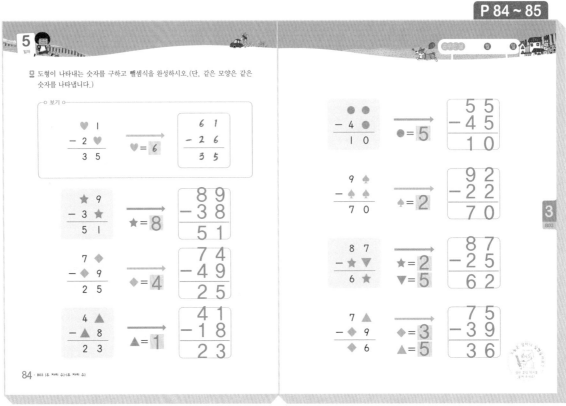

5일차

□ 도형이 나타내는 숫자를 구하고 뺄셈식을 완성하시오.(단, 같은 모양은 같은 숫자를 나타냅니다.)

보기

　♥ 1
− 2 ♥
　3 5
⇒ ♥ = 6 ⇒
　6 1
− 2 6
　3 5

　★ 9
− 3 ★
　5 1
⇒ ★ = 8 ⇒
　8 9
− 3 8
　5 1

　7 ◆
− ◆ 9
　2 5
⇒ ◆ = 4 ⇒
　7 4
− 4 9
　2 5

　4 ▲
− ▲ 8
　2 3
⇒ ▲ = 1 ⇒
　4 1
− 1 8
　2 3

　● ●
− 4 ●
　1 0
⇒ ● = 5 ⇒
　5 5
− 4 5
　1 0

　9 ♣
− ♣ ♣
　7 0
⇒ ♣ = 2 ⇒
　9 2
− 2 2
　7 0

　8 7
− ★ ▼
　6 ★
⇒ ★ = 2　▼ = 5 ⇒
　8 7
− 2 5
　6 2

　7 ▲
− ◆ 9
　◆ 6
⇒ ◆ = 3　▲ = 5 ⇒
　7 5
− 3 9
　3 6

84 · B03 (두 자리 수)-(두 자리 수)

P 88 ~ 89

1 일차 뺄셈식 완성하기

주어진 숫자 카드를 모두 사용하여 뺄셈식을 완성하시오.

온라인 활동지

- 카드 9, 3, 5: $96 - 31 = 65$ (← 6−1)
- 카드 6, 2, 7: $69 - 22 = 47$
- 카드 8, 5, 1: $81 - 15 = 66$
- 카드 3, 4, 9, 8: $94 - 36 = 58$
- 카드 6, 0, 7, 4: $60 - 43 = 17$
- 카드 8, 7, 9, 3: $91 - 78 = 13$

88 · B03 (두 자리 수)-(두 자리 수)

사고력을 키우는 팩토 연산 · 89

P 90 ~ 91

1 일차

올바른 식이 되도록 ■ 카드와 바꾸어야 하는 카드 1장을 찾아 색칠하시오.

온라인 활동지

보기: 43 − 10 = 55 → 45 − 10 = 35

- 52 − 32 = 86 → 58−32=26
- 84 − 26 = 13 → 84−21=63
- 65 − 47 = 12 → 62−47=15
- 71 − 83 = 24 → 71−43=28
- 15 − 79 = 96 → 95−79=16
- 70 − 28 = 51 → 70−18=52
- 42 − 19 = 67 → 46−19=27
- 65 − 63 = 29 → 65−36=29
- 78 − 39 = 48 → 87−39=48

90 · B03 (두 자리 수)-(두 자리 수)

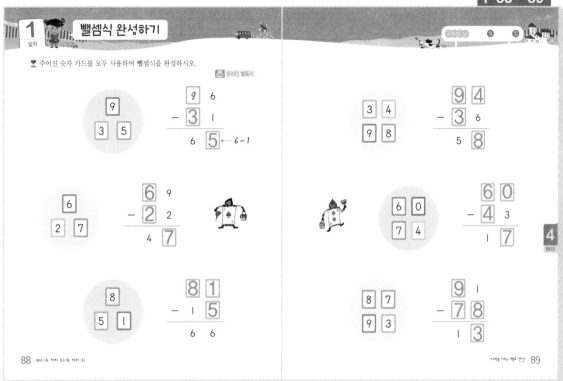

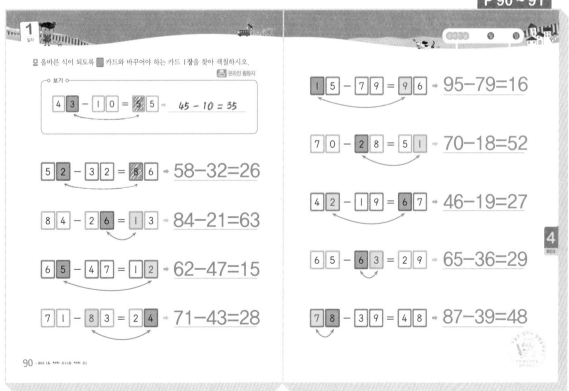

P 92 ~ 93

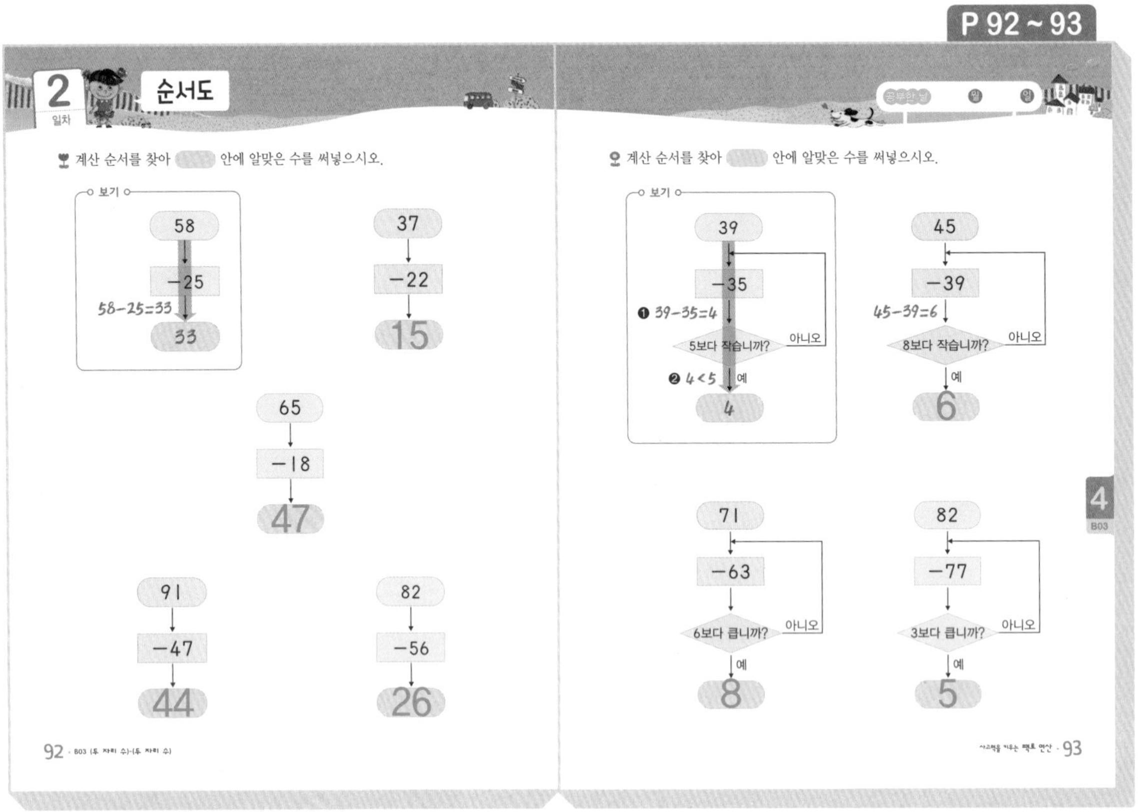

P 94 ~ 95

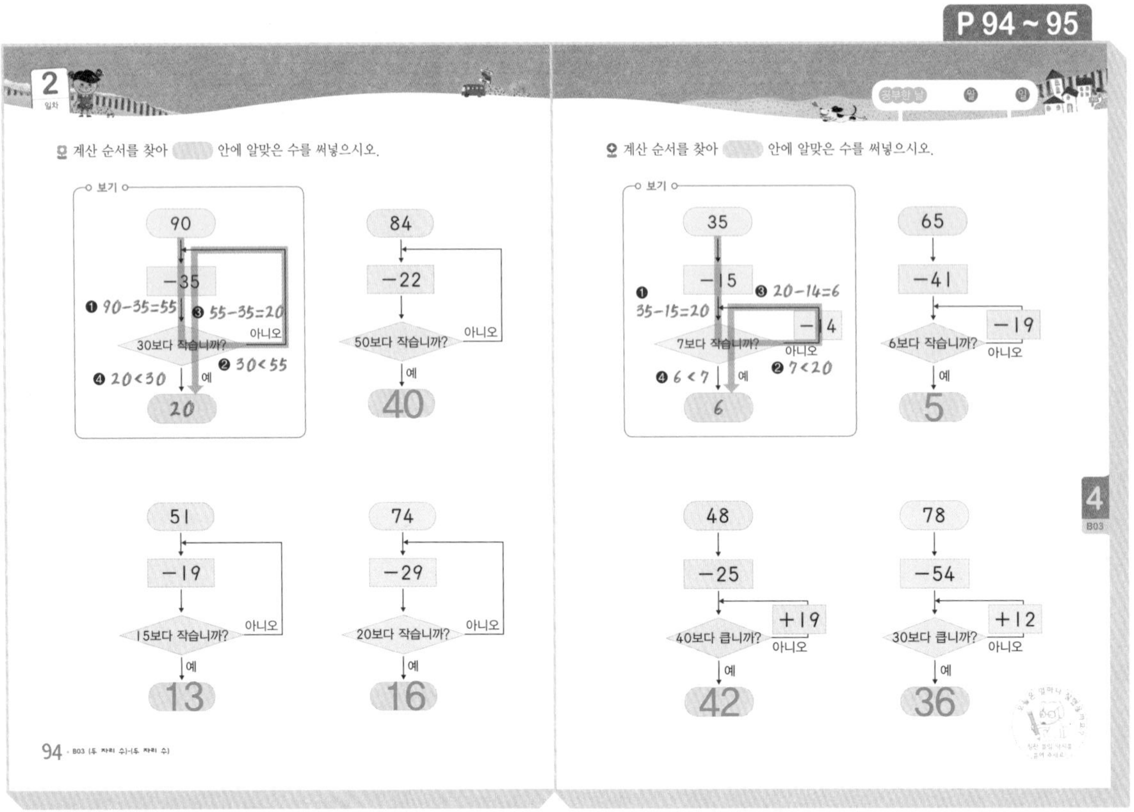

P 96 ~ 97

3 일차 목표수 만들기

주어진 숫자 카드를 모두 사용하여 목표수를 만들어 보시오.

온라인 활동지

보기: 3 2 6 7 → 67 − 32, 목표수 35

8 5 4 0 → 80 − 54, 목표수 26

7 8 3 5 → 73 − 58, 목표수 15

9 1 2 6 → 91 − 62, 목표수 29

공부한 날 월 일

주어진 계산기의 버튼을 알맞은 순서로 눌러 계산 결과가 나오도록 하시오.

보기: 35 (버튼 4, 5, 0, 1) 누르는 순서: 45 − 10 =

34 (버튼 7, 3, 5, 2) 누르는 순서: 57−23=

59 (버튼 7, 4, 5, 1) 누르는 순서: 74−15=

78 (버튼 9, 6, 4, 1) 누르는 순서: 94−16=

P 98 ~ 99

3 일차

두 수를 찾아 목표수를 만들어 보시오.

보기:

54	36	52
21	39	40

54 − 40 = 14 (목표수)

13	42	26
32	12	20

32 − 20 = 12 (목표수)

33	67	43
57	12	45

67 − 45 = 22 (목표수)

85	48	57
75	25	65

85 − 65 = 20 (목표수)

61	52	39
29	35	10

52 − 29 = 23 (목표수)

공부한 날 월 일

15	25	30
45	50	65
75	80	90

90 − 50 = 40 (목표수)
65 − 25 = 40

42	60	65
36	38	20
10	15	57

60 − 38 = 22 (목표수)
42 − 20 = 22

45	60	62
51	47	25
78	57	29

60 − 45 = 15 (목표수)
62 − 47 = 15

82	70	64
91	38	75
85	76	11

38 − 11 = 27 (목표수)
91 − 64 = 27

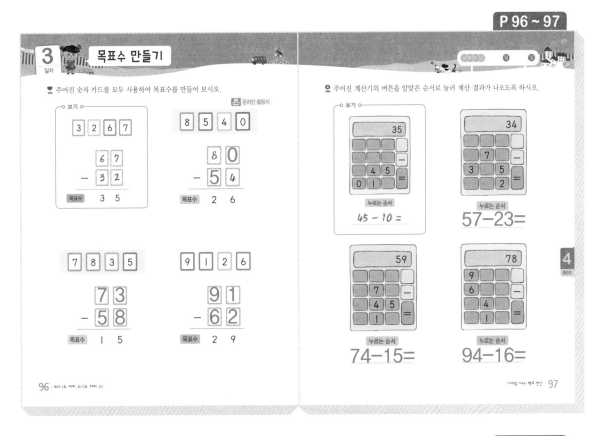

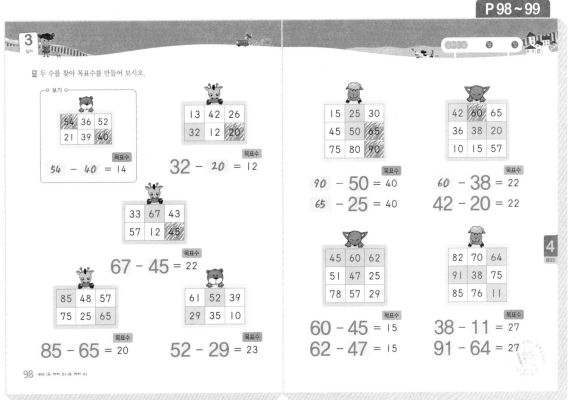

P 100~101

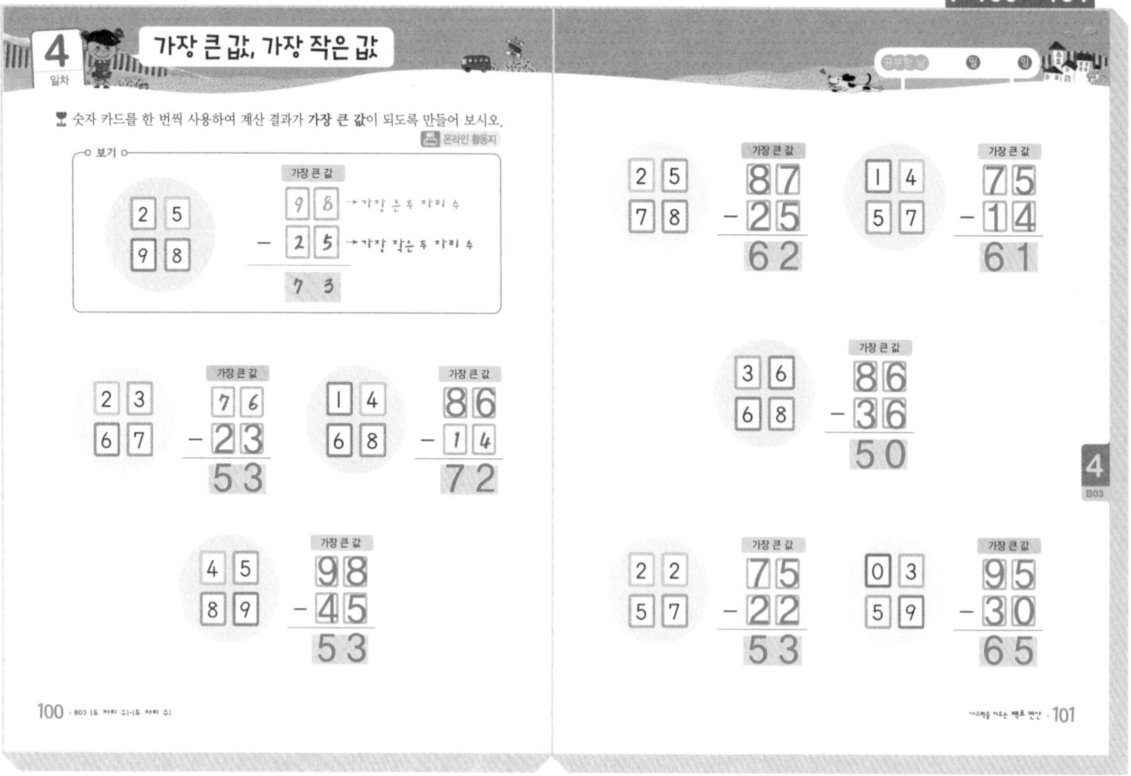

P 102~103

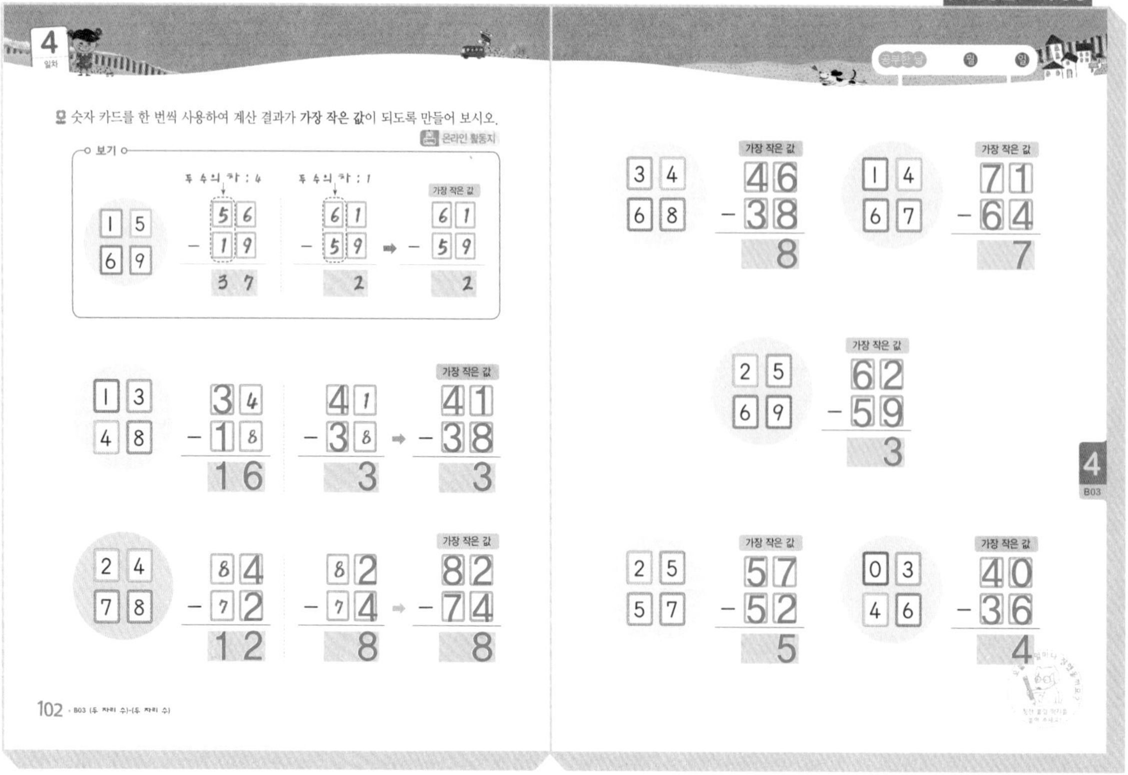

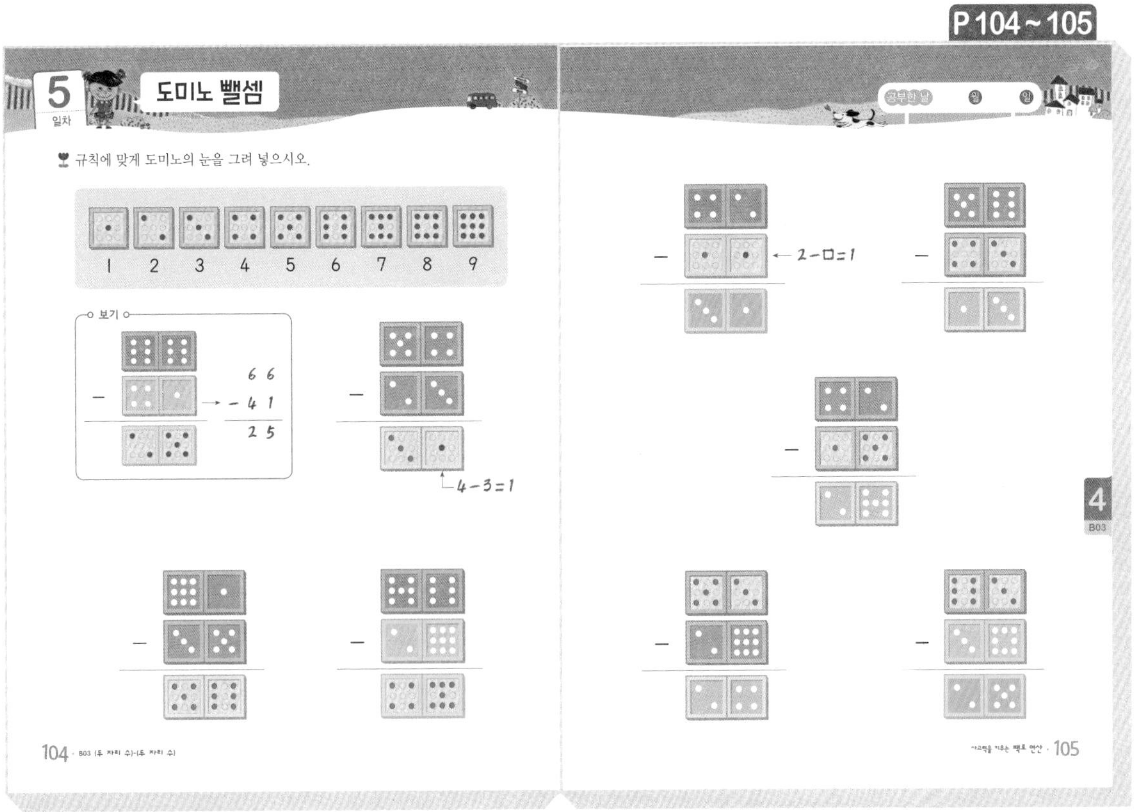

P 104~105

P 106~107

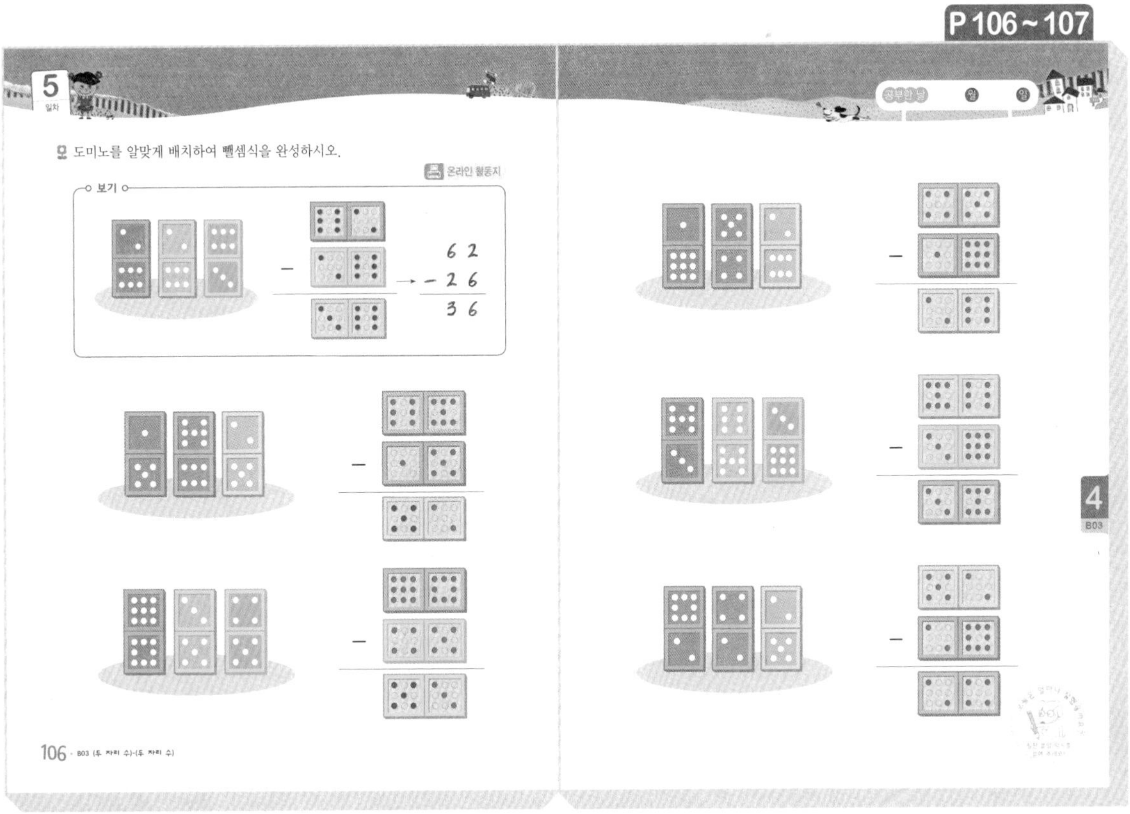

memo

상　장

이름 : ____________

위 어린이는 **팩토 연산 B03권**을

창의적인 생각과 노력으로 성실히

잘 풀었으므로 이 상장을 드립니다.

20　　년　　월　　일

매스티안

위 상장은 8"＊10"(20.3＊25.4cm)액자에 넣을 수 있도록 제작하였습니다.

본 책을 마친 아이들에게 위 상장을 수여하며 아낌없는 칭찬과 힘찬 박수를 보내 주세요.
아이들은 칭찬을 받으면 받을수록 수학에 대한 자신감이 더 생길 것입니다.